prefirieron saltar al vacío antes qu[...]
definitiva, la estructura se despl[...]
tuadas en las 30 plantas superiore[...] según el cál-
culo medio, deberían haber sido como mínimo 4.080.

Ahora bien, según el balance oficial del 9 de febrero de
2002, los dos atentados de Nueva York habrían provocado un
total de 2.843 muertos (número total incluyendo a los pasajeros y a la tripulación de los Boeing, los policías y bomberos víctimas del desmoronamiento de las torres y los
usuarios de las torres).[9] Este balance es muy inferior a las
estimaciones iniciales y deja pensar que, a pesar de las apa-
riencias, los atentados no buscaban provocar pérdidas humanas a la máxima escala. Al contrario, fue necesaria una intervención previa para que muchas personas, al menos las que
trabajaban en las plantas superiores, estuvieran ausentes de
sus oficinas a dicha hora.

Así, el periódico israelita *Ha'aretz* reveló que Odigo, una
empresa líder en materia de mensajería electrónica, recibió
mensajes de alerta anónimos donde se le informaba de los
atentados de Nueva York dos horas antes de que ocurrieran.
Los hechos fueron confirmados al periódico por Micha Ma-
cover, director de la empresa.[10] Avisos de todo tipo habrían

[9] El último balance de víctimas del World Trade Center es de 2.843 muertos,
noticia de Associated Press del 9 de febrero de 2002. Esta cifra es la adelanta-
da por la ciudad de Nueva York. La agencia de prensa obtiene una cifra inferior,
2.799 muertos.

[10] *Ha'aretz* del 26 de septiembre de 2001. Información recuperada por Daniel
Sieberg en CNN: "FBI Probing 'Threating' Message, Firm Says" (28 de septiembre). Véase también "Instant Messages To Israel Warned of WTC Attack" por
Brian McWilliams, en *Newsbytes* del 27 de septiembre, y "Odigo Clarifies Attack
Messages" del mismo autor en la edición del día siguiente. Esta información fue
difundida de manera tergiversada por ciertos medios para dar crédito al hecho de
que los atentados habrían sido perpetrados por el Mossad y que este habría adver-
tido previamente sólo a los empleados judíos del WTC. En realidad Odigo envió
mensajes de alerta utilizando sus capacidades técnicas, sin ninguna posibilidad de
discriminación entre sus destinatarios.

podido ser enviados a los ocupantes de la Torre Norte, aunque probablemente no todos los tomaran en serio del mismo modo.

En este atentado encontramos un esquema comparable al del atentado perpetrado en Oklahoma City, el 19 de abril de 1995. Ese día, a una gran parte de los funcionarios que trabajaban en el edificio federal Alfred P. Murrah se les había dado asueto por la tarde, de manera que la explosión de un coche bomba "sólo" mató a 168 personas. Hoy en día se sabe que ese atentado fue cometido por militares pertenecientes a una organización de extrema derecha infiltrada por el FBI.[11]

Por consiguiente, en Oklahoma City el FBI dejó que se cometiera un atentado del que había sido informado, pero había limitado su alcance.

Analicemos ahora esta curiosa confesión del presidente George W. Bush. Se produjo durante un encuentro en Orlando, el 4 de diciembre.[12]

Pregunta: "Lo primero que querría decirle, señor Presidente, es que nunca sabrá todo lo que ha hecho por nuestro país. Lo segundo es esto: ¿qué sintió cuando fue informado del ataque terrorista?"

Presidente George W. Bush: "Gracias, Jordan. Sabe, Jordan, no me creerá si le digo en qué estado me sumió la noticia de este ataque terrorista. Estaba en Florida. Y mi secretario general, Andy Card —en realidad, me encontraba en un aula hablando de un programa de aprendizaje de lectura particu-

---

[11] Kenneth Stern: *A Force upon the Plain: the American Militia Movement and the Politics of Hate,* Simon & Schuster, 1996. Véase también la primera parte de Ambrose Evans-Pritchard: *The Secret Life of Bill Clinton: the Unreported Stories,* Regnery Publishing, 1997.

[12] "Remarks by the President in Town Hall Meeting", Orange County Convention Center, Orlando, Florida. Este material puede consultarse en: http://www.whitehouse.gov/news/releases/2001/12/ print/20011204-17.html.

11 de septiembre de 2001

LA TERRIBLE IMPOSTURA

Ningún avión se estrelló
en el Pentágono

Thierry Meyssan

11 de septiembre de 2001

LA TERRIBLE
IMPOSTURA

Ningún avión se estrelló
en el Pentágono

Ⓐ *Editorial El Ateneo*

303.6   Meyssan, Thierry
MEY   La terrible impostura - 1a. ed., - Buenos Aires
        El Ateneo, 2002
        256 p.; 15,5 x 22,5 cm.

        © de la traducción, Ariadna Martin Sirarols

        ISBN: 950-02-8684-X

        1. Título - 1. Historia

Diseño de interiores: Lucila Schonfeld
Foto de tapa: Tom Horan, AP

Derechos exclusivos de edición en castellano
reservados para América Latina.
Queda hecho el depósito que establece la ley 11.723

Primera edición de Editorial El Ateneo
© 2002, LIBRERÍAS YENNY S.A.
Patagones 2463 - (C1282ACA) Buenos Aires - Argentina
Tel.: (54 11) 4942 9002 / 4943 8200 - Fax: (54 11) 4308 4199
E-mail: editorial@elateneo.com

Impreso en la Argentina

Índice

Nota

Los documentos oficiales citados en este libro están disponibles en las direcciones de Internet indicadas en las notas. En caso de que fueran retirados de los sitios web norteamericanos, también se encuentran agrupados y archivados en http://www.effroyable-imposture.net, donde el lector podrá consultarlos fácilmente.

Introducción

Los acontecimientos del 11 de septiembre de 2001 fueron seguidos en directo por cientos de millones de personas paralizadas frente a la pantalla del televisor. El estupor ante la magnitud del ataque, la impresión ante la gratuidad de la violencia, aturdieron a todos los telespectadores, incluidos los comentaristas. La ausencia de información sobre la actitud de las autoridades norteamericanas, así como la espectacular violencia de las imágenes llevaron a las cadenas a repetir sin cesar el empotramiento de los aviones suicidas en las torres del World Trade Center y su posterior desmoronamiento. Las exigencias de la transmisión en directo junto con el efecto sorpresa circunscribieron la información a una descripción de los hechos conocidos de inmediato e impidieron toda comprensión global.

En los tres días que siguieron a los atentados, los funcionarios entregaron a la prensa mucha información suplementaria sobre los aspectos menos conocidos de esos acontecimientos. Pero esta se diluyó en el ininterrumpido raudal de noticias relativas a las víctimas y los servicios de auxilio. Al cabo de los meses fueron apareciendo esporádicamente otros datos, como muchas otras anécdotas, sin que se situaran en su contexto.

Ese 11 de septiembre perdieron la vida varios miles de

personas y para vengarlas se llevó a cabo una guerra en Afganistán. Sin embargo, los acontecimientos siguen rodeados de misterio. Su descripción está llena de hechos extraños, incertidumbres y contradicciones. A pesar de la desazón que inspiran, la opinión pública se ha conformado con la versión oficial, dando por supuesto que los imperativos de seguridad nacional no permiten a las autoridades estadounidenses contarlo todo.

Esta versión oficial no se sostiene con un análisis crítico. Vamos a demostrar que se trata sólo de un montaje. En algunos casos, los elementos que hemos recogido permiten restablecer la verdad. En otros, nuestras preguntas aún siguen sin respuesta, lo que no es una razón para seguir creyendo las mentiras de las autoridades. En cualquier caso, el material que hemos elaborado permite desde ahora poner en duda la legitimidad de la respuesta norteamericana en Afganistán y de la "guerra contra el Eje del Mal".

Lo invitamos a no considerar nuestro trabajo como una verdad definitiva. Al contrario, lo invitamos al escepticismo. Confíe únicamente en su espíritu crítico. Para que pueda comprobar nuestras imputaciones y formarse su propia opinión, hemos enriquecido el texto con muchas notas que le indicarán las principales fuentes.

En este período en que Estados Unidos separa el Bien del Mal, nos esforzaremos por recordarle que la libertad no es creer en una visión simplista del mundo, sino comprender, ampliar las opciones y multiplicar los matices.

Primera parte

Una escenificación sangrienta

Capítulo 1

El avión fantasma del Pentágono

¿ Recuerda el atentado contra el Pentágono? Los acontecimientos eran demasiado graves y tan repentinos que en ese momento fue imposible apreciar las contradicciones de la versión oficial.

El 11 de septiembre de 2001, poco antes de las 10 de la mañana, hora de Washington, el Departamento de Defensa publica un breve comunicado: "El Departamento de Defensa sigue respondiendo al ataque perpetrado esta mañana a las 9.38. En este momento no se dispone de ninguna cifra sobre el número de víctimas. Los miembros del personal heridos han sido trasladados a varios hospitales próximos. El secretario de Defensa, Donald S. Rumsfeld, ha expresado su pésame a las familias de las víctimas fallecidas y heridas en este desaprensivo ataque y garantiza la dirección de las operaciones desde su centro de mando en el Pentágono. Todo el personal ha sido evacuado del edificio, mientras los servicios de intervención de urgencia del Departamento de Defensa y de las poblaciones vecinas enfrentan las llamas y las urgencias médicas. Las primeras estimaciones de los daños son considerables; no obstante, el Pentágono debería reabrir mañana por la mañana. Se están clasificando los lugares de trabajo sustitutivos de las partes siniestradas del edificio".[1]

[1] Este comunicado se ha extraído del sitio en Internet del Departamento de De-

La agencia Reuters, la primera en llegar al lugar de los hechos, anuncia que el Pentágono ha sido alcanzado por la explosión de un helicóptero. Paul Begala, un consultor demócrata, confirma esta noticia por teléfono a Associated Press.[2] Unos minutos más tarde, el departamento de Defensa corrige la información: era un avión. Nuevos testigos contradicen a los primeros y dan crédito a la versión de las autoridades: Fred Hey,[3] asistente parlamentario del senador Bob Ney, vio caer un Boeing mientras conducía por la autopista colindante con el Pentágono. El senador Mark Kirk[4] estaba saliendo del estacionamiento del Pentágono, tras desayunar con el secretario de Defensa, cuando se estrelló un gran avión. El secretario en persona, Donald Rumsfeld, sale de su despacho y se precipita al lugar de los hechos para ayudar a las víctimas.

Intervienen los bomberos del condado de Arlington. Se unen a ellos cuatro equipos de la FEMA (Federal Emergency Management Agency/Agencia Federal de Gestión de Crisis), la agencia federal de intervención en situaciones de catástrofe, y bomberos especializados del aeropuerto Reagan. Hacia las 10.10, se hunde el ala del Pentágono afectada.

A la prensa se la mantiene alejada del lugar de la tragedia para que no dificulte las tareas de los servicios de socorro y debe conformarse con filmar las primeras bolsas con restos humanos que se alinean en silencio en un improvisado hospital de campaña. Pero Associated Press logra recupe-

---

fensa. Se puede consultar en el sitio de la universidad de Yale: http://www.yale.edu-/lawweb/avalon/sept_11/dod_brief03.html.

[2] "Part of Pentagnon Collapse after Terrorists Crash Plane into Building", noticia de Associated Press del 11 de septiembre de 2001.

[3] "The Day the World Changed", en *The Christian Science Monitor*, 17 de septiembre de 2001.

[4] "Inside the Pentagon Minutes before Raid", por Rick Pearson, en *Chicago Tribune*, 12 de septiembre 2001.

Foto: SIPA/Associated Press, Tom Horan

rar las fotografías de la llegada de los bomberos, tomadas
por un particular desde un edificio cercano.

En esos momentos de confusión serán necesarias varias
horas para que el jefe del Estado Mayor Conjunto, el general Richard Myers, indique que el "avión suicida" era el
Boeing 757-200 del vuelo 77 de American Airlines, que en-
lazaba Dulles con Los Ángeles y del que los controladores
aéreos habían perdido el rastro desde las 8.55. Siempre precipitadas, las agencias de prensa aumentan la tensión hablando de cerca de 800 muertos. Una cifra poco realista que el
secretario de Defensa, Donald Rumsfeld, se abstendrá de
desmentir en su conferencia de prensa del día siguiente,
aunque el balance exacto, afortunadamente cuatro veces
menor, se conociera entonces con precisión.[5]

Para todo el mundo, después de los atentados contra el
World Trade Center, la conmoción es aún mayor: el ejército
más poderoso del mundo no ha sido capaz de proteger su pro-

5 "Dod News Briefing", 12 de septiembre de 2001, 15.25.

pia sede y ha sufrido graves pérdidas. Estados Unidos, considerado invencible, es vulnerable hasta en su propia tierra.

* * *

A primera vista, los hechos son indiscutibles. Y no obstante, cuando se indaga en los detalles, las explicaciones oficiales resultan confusas y contradictorias.

Los controladores aéreos de la aviación civil (FAA: Federal Aviation Administration/Administración Federal de Aviación) explicaron a los periodistas de *The Christian Science Monitor*[6] que, hacia las 8.55, el Boeing había descendido a 29.000 pies y no había respondido a las órdenes terminantes. Su transponedor había enmudecido, de manera que al principio pensaron que se trataba de una avería eléctrica. Luego, el piloto, que seguía sin responder, había encendido su radio por intermitencia desde la que se podía oír una voz con un fuerte acento árabe que lo amenazaba. El avión dio entonces media vuelta en dirección a Washington y luego perdieron su rastro.

De acuerdo con los procedimientos vigentes, los controladores aéreos locales notificaron el desvío a la sede de la FAA. La mayor parte de los responsables nacionales estaban ausentes, de viaje en Canadá para asistir a un congreso profesional. En la locura de ese día, los responsables de la guardia en la sede de la FAA creyeron recibir una enésima notificación sobre el segundo avión desviado hacia Nueva York. Cuando ya había pasado media hora comprendieron por fin que se trataba de un tercer avión desviado y recién en ese momento informaron a las autoridades militares. Este error les hizo perder 29 valiosos minutos.

---

[6] *Special Edition, The Christian Science Monitor* del 17 de septiembre de 2001, disponible en http://www.csmonitor.com/pdf/csm20010917.pdf.

Interrogado el 13 de septiembre por la Comisión Senatorial de las Fuerzas Armadas, el jefe de Estado Mayor Conjunto, el general Richard Myers,[7] fue incapaz de referir las medidas que se tomaron para interceptar el Boeing. De este animado intercambio con la más alta autoridad militar, los parlamentarios llegaron a la conclusión de que no se había realizado ninguna acción para interceptarlo (léase su comparecencia en los anexos). Pero ¿es posible creer que el ejército de Estados Unidos permaneciera pasivo durante los atentados?

Para contrarrestar el desastroso efecto de esta comparecencia, el NORAD (North American Aerospace Defense Command/Comando Norteamericano de Defensa del Aeroespacio) publicó un comunicado[8] el 14 de septiembre. Además de reparar la falta de memoria del general Richard Myers, indicó que no había sido informado del desvío hasta las 9.24. Aseguró haber dado de inmediato la orden a dos cazas F-16 de la base de Langley (Virginia) para que interceptaran el Boeing. Pero la Fuerza Aérea, al no saber dónde estaba, pensó que quizá se iba a cometer un nuevo atentado en Nueva York y mandó los cazas hacia el norte. Un avión de transporte militar, que despegó de la base presidencial de Saint-Andrews, se cruzó con el Boeing por casualidad y pudo identificarlo. Demasiado tarde.

No es cierto que la versión del NORAD sea más verosímil que la del jefe de Estado Mayor Conjunto. ¿Es posible creer que el sistema de radar militar de Estados Unidos fuese incapaz de localizar un Boeing en una zona de varias decenas de

---

[7] Disponible en http://www.senate.gov/~armed_services.

[8] En http://www.peterson.af.mil/norad/presrelNORADTimelines.html. Véase también "Military Alerted Before Attacks" por Bradley Graham en *The Washington Post* del 15 de septiembre de 2001, y "US Jets Were Just Eight Minutes Away from Shooting Down Hijacked Plane", por Andrew Gumbel en *The Independient* del 20 de septiembre de 2001.

kilómetros de radio? ¿Y que un gran avión de línea pueda despistar a potentes F-16 lanzados en su persecución?

Por tanto, es de suponer que si el Boeing había franqueado este primer obstáculo sería abatido al acercarse al Pentágono. Es obvio que el dispositivo de seguridad que protege el Departamento de Defensa es un secreto militar. Como el de la cercana Casa Blanca. Se sabe perfectamente que se reestructuró[9] por completo tras una serie de incidentes ocurridos en 1994, en especial el aterrizaje de un pequeño avión, un Cesna 150L, en el césped de la Casa Blanca. Se sabe también que este dispositivo antiaéreo comprende cinco baterías de misiles instaladas sobre el Pentágono y cazas estacionados en la base presidencial de Saint-Andrews.[10] Dos escuadrones de combate están permanentemente instalados allí: el 113º Fighter Wing de la Fuerza Aérea y el 321º Fighter Attack de la Marina. Están equipados respectivamente con F-16 y F/A-18 y nunca habrían dejado que el Boeing se acercara.

Pero, como dijo el teniente coronel Vic Warzinski, portavoz del Pentágono: "No éramos conscientes de que ese avión se dirigía hacia nosotros y dudo que antes del martes [11 de septiembre] alguien hubiera podido prever algo semejante".[11]

Así pues, tras despistar a sus perseguidores y franquear sin daños la defensa antiaérea más sofisticada, el Boeing terminó su vuelo en el Pentágono.

Un Boeing 757-200[12] es un carguero capaz de transpor-

[9] Cf. *Public Report of the White House Security Review* (10 de mayo de 1995), en http://www.fas.org/irp/agency/ustreas/usss/t1pubrpt.html.

[10] Sitio oficial de la base de Saint-Andrews: http://www.dcmilitary.com/baseguides/airforce/andrews.

[11] En *Newsday*, 23 de septiembre de 2001.

[12] Según la información emitida por el constructor, que puede consultarse en: http://www.boeing.com/commercial/757-200/product.html.

tar a 239 pasajeros. Mide 47,32 metros de largo y tiene 38,05 metros de envergadura. Lleno, este mastodonte pesa 115 toneladas y alcanza, sin embargo, una velocidad de crucero de 900 km/h.

En cuanto al Pentágono,[13] es el mayor edificio administrativo del mundo. Todos los días trabajan allí 23.000 personas. Su nombre procede de su original estructura: cinco anillos concéntricos, de cinco lados cada uno. Fue construido no lejos de la Casa Blanca, aunque en la otra orilla del Potomac. Así pues, no se encuentra en Washington mismo, sino en Arlington, en el vecino estado de Virginia.

Para causar los mayores estragos, el Boeing debería haberse estrellado contra el techo del Pentágono. A fin de cuentas era la solución más simple: la superficie del edificio es de 29 acres. En cambio, los terroristas prefirieron estrellarse contra una fachada, aunque su altura fuese sólo de 24 metros.

El avión se acercó repentinamente al suelo, como para aterrizar. Manteniéndose en posición horizontal descendió casi verticalmente, sin dañar las farolas de la autopista que bordea el estacionamiento del Pentágono, ni siquiera rozándolas con el soplo de su desplazamiento. Sólo fue seccionado un farol del estacionamiento.

El Boeing chocó contra la fachada del edificio a la altura de la planta baja y la primera planta. Todo (cf. foto de cubierta y fotos de pág. 22) sin dañar el magnífico césped en primer plano, ni el muro, ni el estacionamiento, ni el helipuerto. En efecto, en ese lugar hay una área de aterrizaje para pequeños helicópteros.

A pesar de su peso (un centenar de toneladas) y de su velocidad (entre 400 y 700 kilómetros/hora), el avión sólo destruyó el primer anillo de la construcción. Es lo que puede observarse claramente en las fotografías siguientes.

---

[13] Visita virtual al Pentágono en: http://www.defenselink.mil/pubs/pentagon.

Foto: DoD, Tech. Sgt. Cedric H. Rusdisill
www.defenselink.mil/photos/Sep2001/010914-F-8006R-002.html

Foto: SIPA/Associated Press, Susan Walsh, Pool

El choque se sintó en todo el Pentágono. El combustible del avión, que se almacena en las alas del aparato, se inflamó y el incendio se propagó por el edificio. Encontraron la muerte 125 personas, a las que cabe añadir las 64 personas que viajaban a bordo del Boeing.

La casualidad (?) quiso que el avión chocara contra una parte del Pentágono que estaba en reparación. Se acababa de acondicionar el nuevo Centro de Mando de la Marina.[14] Varios despachos estaban desocupados, otros estaban ocupados por el personal civil encargado de la instalación. Lo que explica que las víctimas fueran mayoritariamente civiles y que sólo hubiera un militar (un general) entre estas.

Media hora más tarde se desplomaron las plantas superiores.

Foto: U.S. Marine Corps, Cpl. Jason Ingersoll
jccc.afis.osd.mil/images/sres.pl?Lbox_cap=356243&dir=Photo&vn= &ttl=010911-M-41221-021&ref=defenselink

14 "Inside the Ring", crónica de Bill Gertz, en *The Washington Times* del 21 de septiembre de 2001.

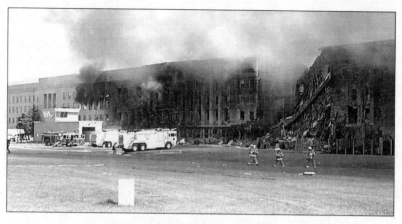

Foto: Jim Garamone, American Forces Press Service
www.defenselink.mil/news/Sep2001/n09112001_200109114.html

Estos primeros elementos son poco verosímiles. El resto de la versión oficial es francamente imposible.

Si se incrusta la forma del avión en la foto del satélite, se puede comprobar que sólo la nariz del Boeing penetró en el edificio. El fuselaje y las alas permanecieron en el exterior.

El avión se detuvo en seco, sin que sus alas golpearan la fachada. No se aprecia ningún rastro de impacto, salvo el de

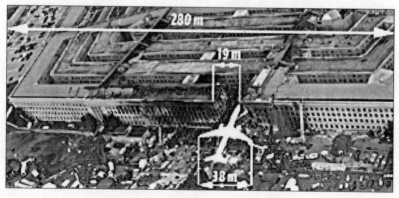

Foto: DoD, Tech. Sgt. Cedric H. Rudisill
www.defenselink.mil/photos/Sep2001/010914-F-8006R-006.html

la nariz del avión. En realidad, deberían verse las alas y el fuselaje en el exterior, de hecho, en el césped.

Mientras que la nariz del avión está fabricada con una aleación de un compuesto susceptible de fundirse rápidamente y las alas —que almacenan el combustible— pueden arder, el fuselaje de un Boeing es de aluminio y los reactores son de acero. Tras el incendio el aparato tiene que dejar, necesariamente, restos calcinados. Si nos remitimos a la fotografía de Associated Press (en la tapa), se puede observar manifiestamente que allí no hay avión. Sin embargo, la foto fue tomada en los primeros minutos: los camiones de bomberos ya habían llegado, pero los bomberos aún no se habían desplegado.

Durante la conferencia de prensa del 12 de septiembre,[15] el capitán de bomberos del condado de Arlington, Ed Plaugher, precisó que sus hombres se habían dedicado a fondo a la lucha contra la propagación del incendio en el Pentágono, pero que se mantuvieron apartados del lugar exacto de la colisión. Sólo los equipos especiales (Urban Search and Rescue) de la FEMA intervinieron en contacto con el avión.

En ese momento se estableció un diálogo surrealista:

Periodista: "¿Qué queda del aparato?"

Jefe Plaugher: "En primer lugar, sobre el aparato… hay algunos fragmentos que podían verse desde el interior durante las operaciones de lucha contra el incendio del que le hablaba, pero no se trataba de pedazos voluminosos. En otras palabras, no hay ni trozos de fuselaje ni nada de este tipo."

(…) *Periodista:* "Comandante, hay trocitos del aparato repartidos por todas partes, incluso en la autopista, pedazos

---

[15] Conferencia de prensa presidida por la secretaria adjunta de Defensa, Victoria Clarke, Pentágono, 12 de septiembre de 2001; se puede consultar en http://www.defenselink.mil/news/Sep2001/t09122001_t0912asd.html.

minúsculos. Usted diría que el aparato estalló, literalmente estalló, en el momento del impacto debido al combustible o..."

Plaugher: "Sabe, preferiría no pronunciarme sobre este tema. Tenemos muchos testigos oculares que pueden informarle mejor sobre lo que le sucedió al aparato cuando se acercaba. Por consiguiente, no sabemos. Yo no lo sé."

(...)

Periodista: "¿Dónde está el combustible del avión?..."

Plaugher: "Tenemos lo que suponemos que es un charco justo en el lugar donde pensamos que está la nariz del avión." *(sic)*

Así, aunque oficiales, parlamentarios y militares pretendieran haber visto caer el aparato, nadie vio el menor pedazo de avión, ni siquiera el tren de aterrizaje: sólo fragmen-

Foto: DoD/Associated Press, Tech. Sgt. Cedric H. Rudisill

tos de metal no identificables. En cuanto a las cámaras de videovigilancia del estacionamiento del Pentágono, estas tampoco vieron el Boeing en ningún momento y desde ningún ángulo.

Recapitulemos la versión oficial: un Boeing desviado habría despistado a F-16 lanzados en su persecución y habría desbaratado el sistema de defensa antiaéreo de Washington. Habría aterrizado verticalmente en el estacionamiento del Pentágono, permaneciendo horizontal. Habría chocado contra la fachada a la altura de la planta baja. Habría penetrado con la nariz y el fuselaje en el edificio. Una de sus alas, tal vez ambas, se habrían incendiado en el exterior, mientras que el fuselaje se habría desintegrado en el interior. El combustible, almacenado en las alas, sólo habría ardido el tiempo suficiente para provocar un incendio en el edificio, luego se habría transformado en un charco que se habría desplazado hasta el supuesto lugar de la nariz del avión.

A pesar del respeto que se debe a la alta calificación de los "testigos oculares", oficiales y parlamentarios, es imposible tragarse estas patrañas. Lejos de dar más crédito a sus declaraciones, la calidad de esos testigos subraya sólo la importancia de los medios desplegados por el ejército de Estados Unidos para tergiversar la verdad.

A fin de cuentas, esta extravagante fábula fue construida progresivamente, una mentira que llamaba a otra. Si nos referimos al comunicado inicial del Pentágono, citado al principio del capítulo, se observa que no se trataba de un Boeing. La teoría del "avión kamikaze" apareció sólo media hora más tarde. Asimismo, tampoco se trataba de cazas intentado interceptar al avión fantasma durante la comparecencia del jefe de Estado Mayor Conjunto. Fue sólo al cabo de dos días que el NORAD inventó el rodeo de los F-16.

* * *

La versión oficial no es más que propaganda. Lo que queda de ella es que 125 personas murieron en el Pentágono y que un avión que transportaba a 64 pasajeros desapareció. ¿Cuál es la causa de la explosión que afectó al Pentágono? ¿Qué sucedió con el vuelo 77 de American Airlines? ¿Sus pasajeros murieron? Si es así, ¿quién los mató y por qué? Si no, ¿dónde están? Muchas preguntas a las que la Administración norteamericana debe responder.

Preguntémonos, sobre todo, qué intenta ocultar la versión oficial. El general Wesley Clark, ex comandante superior de las fuerzas de la OTAN durante la guerra de Kosovo, declaró al ser interrogado por CNN el día después del atentado: "Desde hacía algún tiempo estábamos al corriente de que algunos grupos planeaban [un ataque contra el Pentágono], evidentemente no sabíamos lo bastante".[16] Esta enigmática afirmación no hace referencia alguna a un agresor extranjero, sino a las amenazas proferidas por milicias de extrema derecha contra el Pentágono. Deja entrever los enfrentamientos secretos que desgarran a la clase dirigente estadounidense.

CNN entrevistó a Hosni Mubarak, el 15 de septiembre.[17] En ese momento, el presidente egipcio no disponía de la misma información que nosotros. Ignoraba lo que un análisis detallado nos muestra. En cambio, tenía información confidencial sobre la preparación del atentado, que había transmitido varias semanas antes al Gobierno norteamericano.

Presidente Hosni Mubarak: (...) "Ningún servicio de información en el mundo tenía la posibilidad de decir que iban a utilizar vuelos comerciales, con pasajeros, para estrellarse

---

[16] *Nation's Capital Under State of Emergency,* CNN del 12 de septiembre de 2001 (http://www.cnn.com/2001/US/09/11/dc.terrorism/index.html).

[17] Texto íntegro disponible en el sitio de la presidencia egipcia: http://www.presidency.gov.eg/html/14-Sept2001_press_2.html.

contra las Torres y el Pentágono. Los que hicieron eso, debieron sobrevolar durante un tiempo esta región, por ejemplo. El Pentágono no es muy alto. Para lanzarse así sobre el Pentágono, un piloto debe haber sobrevolado esta zona para conocer los obstáculos que se encontraría volando a una altitud muy baja con un gran avión comercial antes de tocar el Pentágono en un lugar preciso. Alguien estudió esto muy bien, alguien sobrevoló detenidamente esta zona."

CNN: "¿Está sugiriendo, si no le molesta que le haga esta pregunta, que pueda tratarse de una operación interior lo que a su parecer hay detrás de esto?"

Presidente Hosni Mubarak: "Francamente, no quiero sacar conclusiones precipitadas. Ustedes, en Estados Unidos, cuando atrapan a alguien, los rumores corren, dicen 'oh, oh, no es un egipcio, es un saudí, un emiratí'... todo eso, son árabes, la gente piensa que son árabes... Es mejor esperar.

"Recordemos Oklahoma City. Enseguida circularon rumores que acusaban a los árabes, y no eran árabes, como sabemos... déjennos esperar y ver cuáles serán los resultados de la investigación. Porque semejantes cosas perpetradas en Estados Unidos, no es fácil para los pilotos formados en Florida, tanta gente se entrena para lograr la licencia de vuelo, eso no significa que sean capaces de tales acciones terroristas. Le hablo como ex piloto, lo sé muy bien, he pilotado aviones muy grandes, he pilotado cazas, conozco esto muy bien, no son cosas fáciles, por eso creo que no debemos sacar conclusiones demasiado precipitadas."

* * *

Muchas personas que conducían su automóvil por la autopista que bordea al Pentágono, escucharon el ruido de un avión que pasaba sobre sus cabezas. El ruido era estridente, como el de un avión caza, no un avión comercial. Algunos

dicen haber visto el aparato. Lo describen como un pequeño avión de ocho o diez pasajeros, no como un Boeing
757.[18]

Danielle O'Brien, controladora aérea del aeropuerto
Dulles, describió a *ABC News* la manera de comportarse del
aparato, visto en el radar.[19] Volaba aproximadamente a 800
km/h. En primer lugar se dirigió hacia el espacio aéreo protegido de la Casa Blanca y del Capitolio, luego viró oblicua
y brutalmente sobre el Pentágono. A ella y sus colegas no les
cabe la menor duda, dado la velocidad y su capacidad de maniobra, que no podía ser un avión comercial sino sólo un
aparato militar.

El aparato penetró en el edificio sin causar daños importantes en la fachada. Atravesó varios de los anillos del Pentágono, abriendo en cada bloque que atravesaba un agujero cada vez mayor. El orificio final, de forma perfectamente
circular, medía alrededor de 2,30 metros de diámetro. Al
atravesar el primer anillo del Pentágono, el aparato provocó
un incendio tan gigantesco como repentino. Del edificio sa-
lieron llamas inmensas que lamían las fachadas. Se retiraron
con la misma velocidad, dejando detrás de ellas una nube de
hollín negra. El incendio se propagó en una parte del primer
anillo del Pentágono y en dos corredores perpendiculares.
Fue tan repentino que las protecciones contra incendios fueron ineficaces.

---

[18] "Up to 800 Possibly Dead at Pentagon", de James McIntyre y Matt Smith,
en CNN el 11 de septiembre de 2001 (http://www.cnn.com/2001/US/09/11/penta-
gon/terrorism/) y *Three-star General May Be Among Pentagon Dead*, de Ian Christopher McCaleb, en CNN el 13 de septiembre de 2001 (http://www.cnn.com
/2001/US/09/13/pentagon/terrorism/).

[19] "Get These Planes on the Ground", en *ABC News* del 24 de octubre de 2001
(http://abcnews.go.com/sections/2020/2020/2020/011024act_feature.html) y
en National AirTraffic Controllers Association (AFL-CIO) (http://www.septem-
ber11.natca.org/NewsArticles/DanielleOBrien.html).

Todos estos testimonios y observaciones podrían corresponder al disparo de un misil de última generación del tipo AGM, provisto de una carga hueca y una punta de uranio empobrecido del tipo BLU, guiado por GPS. Este tipo de aparato tiene la apariencia de un pequeño avión civil, pero no es un avión. Produce un silbido comparable al de un avión caza, puede ser guiado con la precisión suficiente como para entrar por una ventana, perforar los blindajes más resistentes, y provoca —independientemente de su efecto de perforación— un incendio instantáneo que emite un calor de más de 2000° Celsius.

Por otra parte, sólo un misil del ejército de los Estados Unidos de América que emita un código conocido puede entrar en el espacio aéreo del Pentágono sin desencadenar el disparo de los antimisiles. Este atentado no puede haber sido cometido más que por militares estadounidenses contra otros militares estadounidenses.

Si la Administración Bush falsificó el atentado del Pentágono para enmascarar problemas internos, ¿no pudo ocultar también algunos elementos de los atentados ocurridos en el World Trade Center?

Capítulo 2

Cómplices en tierra

R ecordemos la presentación que se ofreció de los atentados de Nueva York. El martes 11 de septiembre de
2001, a las 8.50, la cadena de televisión de noticias 24
horas CNN interrumpe su programación para anunciar que un
avión de línea ha chocado contra la Torre Norte del World
Trade Center. Como no tenía imágenes de la catástrofe, emite en pantalla un plano fijo de los tejados de Manhattan que
permite ver espirales de humo que escapan de la torre.

A primera vista se trata de un espectacular accidente de
aviación. Las compañías norteamericanas de transporte, al
borde de la quiebra, mantienen cada vez peor a su flota. Los
controladores aéreos ofrecen un servicio poco fiable. El no seguimiento generalizado de la reglamentación autoriza el vuelo anárquico por encima de las aglomeraciones urbanas. Por
consiguiente, lo que hubiera podido pasar acabó sucediendo.

Sin embargo, no se puede descartar, como CNN menciona sin cesar, que este choque no fuese accidental. Se trataría
entonces de una acción terrorista. Recordemos que el 26 de
febrero de 1993 un camión bomba estalló en el segundo sótano del estacionamiento del World Trade Center, causando
la muerte a seis personas e hiriendo a un millar más. El atentado se había atribuido a una organización islámica dirigida,
desde la misma Nueva York, por el jeque Omar Abdul Rah-

man. Para los comentaristas de CNN, si el choque ha sido un atentado probablemente sea obra de otro integrista islámico, el ex militar saudí Osama Bin Laden. Por una *fatwa*, de fecha 23 de agosto de 1996, este financiero, refugiado en Afganistán, hizo un llamamiento a la guerra santa contra Estados Unidos e Israel. Se le atribuyen los atentados perpetrados el 7 de agosto de 1998 contra las embajadas norteamericanas de Nairobi (Kenia) y Daar-es-Salam (Tanzania). En unos años se ha convertido en el "enemigo público n° 1 de Estados Unidos". El FBI puso precio a su cabeza: cinco millones de dólares. El consejo de seguridad de la ONU pidió al Gobierno talibán su extradición. Desde el 5 de febrero de 2001, Estados Unidos lo está juzgando en rebeldía precisamente en Nueva York.

Unas tras otras, las cadenas de televisión norteamericanas conectan en directo con Nueva York. A las 9.03 un segundo avión de línea se estrella contra la Torre Sur del World Trade Center. El choque se produce cuando muchas cadenas difundían imágenes de la Torre Norte en llamas. Por consiguiente, se filma desde varios ángulos y millones de telespectadores lo viven en directo. Es evidente que Estados Unidos debe hacer frente a acciones terroristas en su propio territorio. Por miedo a atentados con coches bomba, el Port Authority de Nueva York cierra al tránsito todos los puentes y túneles del barrio de Manhattan (¡se temía la acción de comandos de tierra!). A las 9.40, la policía de Nueva York informa a la población que nuevos aviones pueden estrellarse contra otras torres. A las 10 de la mañana, cuando se anuncia otro ataque en el Pentágono, se desploma la Torre Sur del World Trade Center. Una nube de polvo cubre Manhattan. Se menciona un posible balance de varias decenas de miles de muertos. La combustión del avión habría desprendido un calor tan intenso que las estructuras metálicas de los edificios no habrían podido resistir.

El gobernador de Nueva York, George Pataki, cierra todas las oficinas oficiales de su Estado y convoca a la Guardia Nacional. "Tengo amigos en esas torres, pienso en ellos, en su familia, y nos esforzamos por dar apoyo a todos los que han resultado afectados por esta tragedia", declara. A las 11.02, el alcalde de Nueva York, Rudolph Giuliani, se dirige a los neoyorquinos hablando por teléfono con la emisora *Nueva York One:* "A los que no están en Manhattan en este momento, permanezcan en casa o en la oficina. Si se encuentran en el centro de negocios, diríjanse con calma hacia el norte, fuera de la zona de ataque, para no obstaculizar las operaciones de socorro. Tenemos que salvar a tanta gente como sea posible". Una densa multitud, de varias decenas de miles de personas, franquea entonces los puentes (ya cerrados al tránsito rodado) para huir de Manhattan.

A las 17.20, el edificio 7 del World Trade Center, que no ha sido tocado por los aviones, se desmorona a su vez, sin causar víctimas. Los servicios de urgencia de Nueva York piensan que el edificio ha sido afectado por el desmoronamiento de los dos precedentes. Por una especie de efecto dominó, a su vez otros edificios vecinos estarían a punto de caerse. La alcaldía de Nueva York encarga 30.000 bolsas para restos humanos.

Por la tarde y en los días posteriores, se reconstruye el guión del ataque: fundamentalistas islámicos, de las redes de Bin Laden, organizados en equipos de cinco y armados con cortapapeles, desviaron aviones de línea. Fanáticos, se sacrificaron precipitando sus aviones kamikazes contra las torres.

* * *

A primera vista, los hechos son indiscutibles. Pero, sin embargo, cuanto más se entra en los detalles, más contradicciones aparecen.

Los dos aviones fueron identificados por el FBI como Boeing 767 pertenecientes, el primero, a American Airlines (vuelo 11, Boston-Los Ángeles) y el segundo a United Airlines (vuelo 175, Boston-Los Ángeles). Las compañías reconocieron haber perdido esos aviones.

Gracias a algunos pasajeros que con sus teléfonos móviles llamaron a sus allegados en el transcurso de la operación, se sabe que los piratas aéreos agruparon a los viajeros en la parte trasera del avión, como se hace habitualmente para aislar al personal técnico. Su acción fue facilitada por el escaso número de pasajeros: 91 en el vuelo 11 y 56 en el vuelo 175 de un total de 239 plazas por avión.

Según las informaciones reveladas por teléfono por los pasajeros, los piratas no llevaban armas blancas.[1] Después de cerrar el espacio aéreo estadounidense, todos los aviones en vuelo aterrizaron y fueron registrados por el FBI. En dos de ellos, el vuelo 43 (Newark-Los Ángeles) y el vuelo 1729 (Newark-San Francisco), se descubrieron cortapapeles idénticos escondidos debajo de los asientos. Los investigadores extrapolaron que todos los piratas aéreos utilizaban este modelo de cortapapeles. Más tarde, la CIA (Central Intelligence Agency/Agencial Central de Inteligencia) descubrió, en una casa donde Osama Bin Laden había residido en Afganistán, bolsas de cortapapeles que atestiguaban que los fundamentalistas habían recibido formación para su manejo.

No obstante es difícilmente concebible que el patrocinador de los atentados hubiese descuidado suministrar armas de fuego a sus hombres, con el riesgo de ver fracasar su operación total o parcialmente. Sorprende todavía más porque

---

[1] Salvo en el vuelo 93 que estalló en Pensilvania, los pasajeros indicaron que los piratas disponían de una caja que decían que era una bomba.

es más fácil pasar el control de los aeropuertos con pistolas[2] adaptadas que con cortapapeles.

¿Por qué plantearse tales preguntas? En el imaginario colectivo, como es bien sabido, a los árabes, por tanto a los fundamentalistas islámicos, les gusta degollar a sus víctimas. Los cortapapeles permiten deducir que los piratas aéreos eran árabes, lo que falta demostrar.

Antes de llegar a Nueva York, los aviones tuvieron que disminuir considerablemente la altitud, de manera que los pilotos pudieran ver las torres de frente y no desde arriba. Vista desde el cielo, una ciudad parece un plano y todas nuestras referencias visuales desaparecen. Para chocar contra las torres, era necesario posicionarse previamente a muy baja altitud.

Los pilotos no sólo tuvieron que ajustar la altitud del choque, sino también posicionar los aparatos lateralmente. El ancho de las Torres Gemelas es de 63,70 metros. La envergadura de un Boeing 767 es de 47,60 metros. En los videos se observa que los aparatos chocaron con precisión en el centro de sus blancos. Un simple desplazamiento de 55,65 metros y los aviones habrían fallado su blanco. A velocidad media (700 km/h), esta distancia se recorre en tres décimas de segundo. Vista la poca manejabilidad de estas máquinas, es una proeza para pilotos curtidos y con más razón para aprendices de piloto.

El primer avión llegó perfectamente de frente, en dirección del viento, lo que facilitó su estabilización. Pero el segundo se vio obligado a realizar una compleja maniobra de rotación, particularmente difícil de cara al viento. Sin embargo, chocó, este también, contra una torre, a una buena altura y en el centro.

---

[2] Las pistolas sintéticas no son localizables por el detector de metales. Véase al respecto http://www.glock.com.

Pilotos profesionales entrevistados confirman que entre ellos pocos son capaces de planear una operación así y para pilotos aficionados la excluyen formalmente. En cambio, existe un medio infalible para lograr ese objetivo: utilizar balizas. Una señal emitida desde el blanco atrae al avión, que es guiado automáticamente. Por otra parte, la existencia de una baliza en el World Trade Center es atestiguada por radioaficionados que registraron su señal. Fue detectada porque interfería las emisiones de las antenas de televisión situadas en las torres. Es probable que la señal se activara en el último momento para evitar que se descubriera y fuera destruida. Es posible que los piratas utilizaran dos balizas, ya que una sola habría servido difícilmente a pesar de la alineación de los blancos. De todas maneras, les hacían falta cómplices en tierra. Y si los tenían, no era necesario disponer de muchos piratas a bordo. Un pequeño equipo era suficiente para poner el aparato en piloto automático. Además, ni siquiera se necesitaba tener piratas embarcados, ya que no era necesario retener rehenes: pirateando las computadoras de a bordo antes del despegue es posible tomar el control del aparato en vuelo gracias a la tecnología Global Hawk puesta a punto por el Departamento de Defensa.[3] De esta manera, el Boeing se puede teleguiar como un autómata, un avión sin piloto.

A continuación, las Torres Gemelas se desmoronaron sobre sí mismas. La FEMA (Agencia Federal de Gestión de Crisis) encargó una comisión de investigación a la ASCE (Sociedad Norteamericana de Ingenieros Civiles). Según el informe preliminar, la combustión del carburante de los avio-

---

[3] "Global Hawk, the DoD's Newest Unmaned Air Vehicle", Departamento de Defensa, febrero de 1997 (http://www.defenselink.mil/photos/Feb1997/970220-D-0000G-001.html).

nes habría desprendido un formidable calor que habría fragilizado la estructura metálica central.

Las asociaciones de bomberos de Nueva York y la revista profesional *FIRE Engineering*[4] rechazan con vigor esta teoría y, con la ayuda de cálculos, aseguran que esas estructuras podían resistir mucho tiempo al fuego. Los bomberos afirman haber oído explosiones en la base de los edificios y reclaman la apertura de una investigación independiente.[5] Se preguntan sobre las sustancias que había almacenadas en los edificios y, a falta de respuestas, sobre las explosiones criminales que implicaban a un equipo en tierra. Un célebre experto del New Mexico Institute of Mining and Technology, Van Romero, asegura que el desmoronamiento sólo puede haber sido causado por explosivos.[6] Ante la presión pública, se retracta.

Sea como sea, el choque de los aviones no permite explicar la caída de un tercer edificio, la Torre 7. La hipótesis de una desestabilización de los cimientos fue descartada por la ASCE: en efecto, la Torre 7 no se inclinó, sino que se desmoronó sobre sí misma. La pregunta ya no es "¿fue dinamitada?", sino "¿qué otra hipótesis puede formularse?".

Aquí es donde interviene una exclusiva de *The New York Times*.[7] El World Trade Center, que se creía era un blanco civil, escondía un blanco militar secreto. Quizá miles de per-

---

[4] "$elling Out the Investigation", por Bill Manning, *Fire Engineering*, enero de 2002. Véase también "WTC Investigation? A Call to Acting" (petición publicada en el mismo número de la revista).

[5] Por ejemplo, el testimonio del bombero Louie Cacchioli (Brigada 47), en http://people.aol.com/people/special/0,11859,174592-3,00.html.

[6] "Explosives Planted in Towers, N.M. Tech Expert Says" por Olivier Uyttebrouck, en *Albuquerque Journal* del 11 de septiembre de 2001. Retractación en "Fire, Not Extra Explosives, Doomed Buildings, Expert Says" por John Fleck, en *Albuquerque Journal* del 21 de septiembre de 2001.

[7] "Secret C.I.A. Site in New York was Destroyed on Sept. 11", por James Risen, *The New York Times*, 4 de noviembre de 2001.

sonas perecieron porque servían, sin saberlo, de escudos humanos. La Torre 7 —aunque quizá también otros edificios y los sótanos— escondía una base de la CIA.[8] En los años cincuenta era una simple oficina de espionaje de las delegaciones extranjeras en la ONU; con Bill Clinton, esta base extendió ilegalmente sus actividades al espionaje económico de Manhattan. Los principales recursos del aparato de información norteamericano habían sido desplazados del espionaje antisoviético a la guerra económica. La base de la CIA en Nueva York se había convertido en el centro mundial de la inteligencia económica más importante. Esta reorientación de la información era fuertemente cuestionada por el sector más tradicional de la CIA y por el Estado Mayor Conjunto.

Retrospectivamente, podemos preguntarnos si el blanco del atentado cometido en el World Trade Center el 26 de febrero de 1993 (seis muertos, un millar de heridos) no sería esa estación secreta de la CIA, aunque en esa época mucho menos desarrollada.

Sabiendo que a la hora del primer choque en las Torres Gemelas había entre 30.000 y 40.000 personas y que cada torre tenía cien plantas, como mínimo había una media de 136 personas por planta. El primer Boeing chocó contra la Torre Norte entre las plantas 80 y 85. Los ocupantes de esos niveles perecieron de inmediato, ya sea bajo el efecto del choque, ya sea durante el incendio que siguió al impacto. Las personas situadas en las plantas superiores se vieron atrapadas, puesto que el incendio se propagó hacia arriba. Algunas

8 Tuvimos conocimiento de varios testimonios según los que la base de la CIA se encontraba en los niveles 9 y 10 de la Torre 7. Al parecer se utilizaba como cobertura la New York Electric Crime Task Force, vinculada al Servicio Secreto. Las mismas fuentes han hecho llegar fotografías de la Torre 7, tomadas después del derrumbe de la Torre Sur, en las que se distingue claramente un incendio en el nivel 9 (http://members.aol.com/erichuf/eh_wtc16.jpg). No pudimos comprobar la autenticidad de las fotografías y la veracidad de la información.

larmente eficaz—, estaba sentado fuera de la clase, esperando el momento de entrar, y vi un avión que chocaba contra la torre —la tele estaba, claro está, encendida—. Y como yo mismo he sido piloto, me dije, pues vaya, qué mal piloto. Dije, debe tratarse de un horrible accidente. Pero [entonces] me llevaron [a la clase] y no tuve tiempo de pensar en eso. Estaba pues sentado en el aula y Andy Card, mi secretario general que puede ver sentado allí, entró y me dijo 'Un segundo aparato se ha estrellado contra la torre, Norteamérica está siendo atacada'.

"De hecho Jordan, al principio no supe qué pensar. Sabe, crecí en una época en la que nunca se me hubiese ocurrido que Norteamérica pudiera ser atacada —probablemente su padre o su madre pensaban como yo—. Y en este corto intervalo me puse a pensar intensamente en lo que eso significaba, ser atacado. Y sabía que cuando dispusiera de todos los hechos [que confirmaran] que habíamos sido atacados, el precio sería el infierno por haberse metido con Norteamérica (aplausos)."

Así pues, según sus propias declaraciones, el presidente de Estados Unidos vio imágenes del primer choque antes de que ocurriera el segundo. Esas imágenes no pueden ser las que tomaron por casualidad Jules y Gédéon Naudet. En efecto, los hermanos Naudet estuvieron todo el día filmando en el World Trade Center y su video sólo lo difundió la agencia Gamma trece horas más tarde. Se trata, por lo tanto, de imágenes secretas que le fueron transmitidas sin demora en la sala de comunicación de seguridad que se había instalado en la escuela primaria en previsión de su visita. Pero si los servicios de información estadounidenses pudieron filmar el primer atentado es porque habían sido informados previamente. Y en ese caso, ¿por qué no hicieron nada para salvar a sus compatriotas?

Recapitulemos nuestras informaciones: los terroristas

disponían del apoyo logístico de equipos en tierra. Activaron una o dos balizas, previnieron a los ocupantes de las torres para limitar la catástrofe humana y dinamitaron tres edificios. Todo bajo la mirada de servicios de información tan atentos como pasivos.

¿Una operación así pudo ser concebida y dirigida desde una cueva de Afganistán y realizada por un puñado de fundamentalistas islámicos?

Capítulo 3

Topos en la Casa Blanca

Recuperemos la versión oficial de ese terrible día. Para dar respuesta a los dos atentados ocurridos en Nueva York, el director del FBI, Robert Mueller III, activó el CONPLAN:[1] todas las agencias gubernamentales fueron informadas de la catástrofe y se les solicitó que estuvieran a disposición del SIOC (Centro de Operaciones e Información Estratégica) del FBI y del CDRG (Grupo de Respuesta a Situaciones de Catástrofe) de la FEMA (Agencia Federal de Gestión de Crisis). Los principales lugares de mayor concentración de gente y susceptibles de convertirse en escenario de operaciones terroristas fueron evacuados y cerrados.

De repente, sobre las 10 de la mañana, el Servicio Secreto (es decir el Servicio de Protección de Altas Personalidades) da un alerta de un nuevo tipo: la Casa Blanca y el Air Force One, el avión presidencial, están amenazados. El vicepresidente Cheney es conducido al PEOC (Presidential Emergency Operations Center/Centro Presidencial de Operaciones de Emergencia), la sala de mando subterránea situada en el ala oeste de la Casa Blanca. Se activa el plan de Continuidad del Gobierno (CoG). Los principales dirigen-

[1] United States Government Interagency Domestic Terrorism Concept of Operation Plan (CONPLAN) (http://www.fbi.gov/publications/conplan/conplan.pdf).

tes políticos del país, miembros del gobierno y del Congreso, son evacuados a lugares seguros. Helicópteros de los *Marines* los conducen a dos enormes refugios antiatómicos: el High Point Especial Facility (Mount Weather, Virginia) y el Alternate Joint Communication Center, llamado "Lugar R" (Raven Rock Mountain, cerca de Camp David); verdaderas ciudades subterráneas, vestigios de la Guerra Fría, creados para refugiar a miles de personas.

Por su parte, George W. Bush, que se dirige a Washington, cambia de destino. El avión presidencial se dirige primero a la base de Barksdale (Louisiana), luego a la de Offutt (Nebraska). Esta última es la sede del US Strategic Command, es decir, el emplazamiento nodal desde el que puede activarse la fuerza nuclear de disuasión. Entre las dos bases, el avión presidencial se desplaza a baja altitud, en zigzag, escoltado por cazabombarderos. En las bases, el Presidente atraviesa las áreas de tráfico a bordo de vehículos blindados para escapar a los disparos de francotiradores.

Este dispositivo de protección de las altas personalidades no termina hasta las 18 hs., cuando George W. Bush vuelve al Air Force One para regresar a Washington.

El vicepresidente Dick Cheney, invitado por Tim Russert al programa *Meet the Press* (NBC),[2] el 16 de septiembre, describe el alerta dado por el Servicio Secreto y la naturaleza de la amenaza (cf. Anexos).

Según su propio testimonio, el vicepresidente habría sido informado súbitamente por oficiales de seguridad de que su vida estaba en peligro y habría sido evacuado a la fuerza al búnker de la Casa Blanca. Un Boeing desviado, que más tarde se comprobaría que era el vuelo 77, daba vueltas sobre Washington. Al no encontrar las referencias de la Ca-

---

[2] Texto íntegro de la entrevista en: http://stacks.msnbc.com/news/629714.asp.

sa Blanca, se habría estrellado contra el Pentágono. Mientras se evacua a todas las personalidades del Gobierno y el Congreso, se informa al Servicio Secreto de otra amenaza contra el Air Force One. Un nuevo avión desviado amenazaría con ir a estrellarse en pleno vuelo contra el avión presidencial.

✳ ✳ ✳

Una vez más, la versión oficial no se sostiene tras un análisis detallado.

El testimonio del vicepresidente busca identificar la amenaza: aviones suicidas se dirigían hacia la Casa Blanca y el Air Force One. Recupera la mentira aireada en nuestro primer capítulo: la del vuelo 77 que se estrella contra el Pentágono. Incluso exagera al imaginar al avión suicida sobrevolando Washington en busca de un blanco. No obstante, es triste aceptar que el Servicio Secreto, en lugar de activar la defensa antiaérea, pensara sólo en evacuar al vicepresidente a un búnker. Para distraer más, Cheney inventa que un nuevo avión de línea persigue al Air Force One como un jinete de western e intenta estrellarse contra este en pleno vuelo ante la mirada impotente de la Fuerza Aérea norteamericana.

A pesar de esas improbabilidades, esta fábula no basta para explicar tales comportamientos. En efecto, si la amenaza se resume a los aviones suicidas, ¿por qué se protege al Presidente de eventuales disparos de francotiradores hasta en el área de tráfico de las bases militares estratégicas? ¿Cómo creer que los fundamentalistas islámicos han podido posicionarse en emplazamientos tan protegidos?

El testimonio de Dick Cheney pretende sobre todo que se olviden las declaraciones del portavoz de la Casa Blanca, Ari Fleischer, y las revelaciones del secretario general de la

Casa Blanca, Karl Rove.[3] Los datos que proporcionaron llevaban a preguntarse sobre eventuales pistas internas, ahí donde la propaganda de guerra sólo quiere ver enemigos venidos de fuera.

La prensa[4] de los días 12 y 13 de septiembre afirma que, según el portavoz de la presidencia (Ari Fleischer), el Servicio Secreto habría recibido un mensaje de los atacantes indicando que tenían la intención de destruir la Casa Blanca y el Air Force One. Lo que sorprende es que, según *The New York Times*, los atacantes dieran credibilidad a su llamada utilizando los códigos de identificación y de transmisión de la presidencia. Más asombroso aún es que, según *The World Net Daily*,[5] citando a oficiales de información, los atacantes habrían dispuesto también de los códigos de la DEA (Drug Enforcement Administration), del NRO (National Reconnaissance Office/Oficina Nacional de Reconocimiento), del AFI (Air Force Intelligence/Inteligencia de la Fuerza Aérea), del AI (Army Intelligence/Inteligencia del Ejército), del NI (Naval Intelligence/Inteligencia Naval), del MCI (Marine Corps Intelligence/Cuerpo de Inteligencia de los *Marines*) y de los servicios de información del Departamento de Estado y del Departamento de Energía. Sólo un reducido número de responsables tiene acceso a cada uno de estos códigos. Nadie está habilitado para tener varios. Por otra parte, admitir que los atacantes disponían de ellos significa que existe un método para adivinarlos, o bien que en cada uno de esos organismos de información existen topos infiltrados.

---

[3] Léase en particular "The Options" por Nicholas Lemann, en *The New Yorker* del 25 de septiembre de 2001.

[4] Por ejemplo: "White House said Targeted", por Sandra Sobieraj, en *The Washington Post* del 12 de septiembre de 2001; e "Inside the Bunker", en *The New York Times* del 13 de septiembre de 2001.

[5] "Digital Moles in White House? Terrorists had Top-secret Presidential Codes", en *The World Net Daily* del 20 de septiembre de 2001.

Técnicamente parece posible reconstituir los códigos de las agencias norteamericanas mediante el software que haya servido para concebirlos. Eso seguro. Sin embargo, los algoritmos de este software habrían sido robados por el agente especial del FBI Robert Hansen, detenido en febrero de 2001[6] por espionaje. Para el ex director de la CIA, James Woolsey, los códigos habrían sido más bien obtenidos por topos. Y Woolsey, que es hoy en día el *lobbista* de la oposición a Saddam Hussein, afirma que esta operación sería obra de los peligrosos servicios secretos iraquíes. Una tercera hipótesis sería que el Servicio Secreto cuenta con muchos infiltrados y que se habría dejado corromper: los atacantes no dispusieron nunca de esos códigos, pero –gracias a sus cómplices– habrían logrado que así se creyera.

En cualquier caso, el tema de los códigos muestra que existe uno o varios traidores en el más alto nivel del aparato de Estado norteamericano. Estos son los que serían susceptibles de ubicar a francotiradores para asesinar al Presidente hasta en el interior de las bases estratégicas de la Fuerza Aérea norteamericana. Y para protegerse de sus ardides, el presidente Bush utiliza vehículos blindados en las áreas de tráfico de Barksdale y de Offutt.

Otro aspecto de este asunto es revelar la existencia de una negociación paralela. Si los atacantes se pusieron en contacto con el Servicio Secreto y utilizaron códigos secretos para autentificar su llamada, lo hicieron con un objetivo preciso. Su mensaje contenía ya sea una reivindicación, ya sea un ultimátum. Por eso, si se admite que la amenaza se disipó al final del día, sólo se puede concluir que el presidente Bush negoció y cedió a un chantaje.

Al disponer de los códigos de autentificación y de trans-

---

6 "Bin Laden's Magic Carpet - Secret US Promis Software" por Michael C. Ruppert, en *From the Wilderness* del 20 de noviembre de 2001.

misión de la Casa Blanca y del Air Force One, los atacantes podían usurpar la potestad del presidente de Estados Unidos. Podían dar instrucciones a los ejércitos a su merced, incluida la de accionar el sistema nuclear. El único medio que podía permitir a George W. Bush seguir dominando a sus ejércitos era estar físicamente en la sede del US Strategic Command, en Offutt, y dar personalmente cualquier orden o contraorden. De ahí que se dirigiera allí personalmente. El trayecto directo resultaba imposible, ya que el avión no disponía de combustible suficiente. El Air Force One, que no está hecho para volar a baja altitud, había consumido sus reservas y no podía aprovisionarse en vuelo sin exponerse. Por lo tanto se programó una escala técnica en Barksdale, uno de los cinco lugares sustitutivos de Offutt.

El asunto de los códigos no es el único aspecto que ha desaparecido de la versión oficial. Se ha olvidado otro hecho debidamente comprobado. El 11 de septiembre, a las 9.42, la cadena ABC difundió imágenes en directo de un incendio en el anexo de la Casa Blanca, el Old Executive Building. La cadena de televisión se conformó con mostrar un plano fijo con espirales de humo negro saliendo del edificio. No se filtró ninguna información sobre el origen del siniestro, ni sobre su magnitud exacta. A nadie se le ocurrió atribuir el incendio a un avión kamikaze. Al cabo de un cuarto de hora, el Servicio Secreto sacaba a Dick Cheney de su despacho y ordenaba la evacuación de la Casa Blanca y de su anexo. Tiradores de elite se habían desplegado por los alrededores de la morada presidencial, provistos con lanzaproyectiles y capaces de repeler un asalto de tropas aerotransportadas. En resumen, era necesario enfrentarse a una amenaza muy diferente a la descripta posteriormente por el vicepresidente Cheney.

Releamos ahora el texto de la intervención del presidente Bush, grabado en Barksdale y difundido en diferido por el Pentágono a las 13.04: "Quiero tranquilizar al pueblo norteamericano y garantizarle que todos los efectivos del Gobierno federal están trabajando para ayudar a las autoridades locales a salvar vidas y asistir a las víctimas de estos ataques.

"Que nadie se lleve a engaño: Estados Unidos acorralará y castigará a los responsables de estos actos cobardes.

"He estado en contacto regular con el vicepresidente, el secretario de Defensa, el equipo de Seguridad Nacional y mi gabinete. Hemos tomado todas las precauciones de seguridad adecuadas para proteger al pueblo norteamericano. Nuestros militares, en Estados Unidos y en todo del mundo, están en estado de alerta máximo, y hemos tomado las precauciones de seguridad necesarias para proseguir las funciones del Estado.

"Nos hemos puesto en contacto con los líderes del Congreso y los principales dirigentes mundiales para asegurarles que haremos todo lo que sea necesario para proteger a Norteamérica y a los norteamericanos.

"Le pido al pueblo norteamericano que se una a mí para dar gracias a todas las personas que han empleado toda su energía en rescatar a nuestros conciudadanos y para rezar por las víctimas y sus familias.

"La resolución de nuestro gran pueblo norteamericano ha sido puesta a prueba. Pero que nadie se equivoque: demostraremos al mundo que superaremos esta prueba. Dios los bendiga."

Lo que llama la atención en esta alocución es que el Presidente evite cuidadosamente designar a los atacantes. Ya no emplea las palabras "terrorismo" o "terrorista". Da a entender que puede tratarse del principio de un conflicto militar clásico, o de cualquier otra cosa. Habla de una "prueba" que será superada y parece que anuncia nuevas catástrofes. Sorprende que no dé ninguna explicación de su ausencia de Washington, dando la impresión de que ha huido de un peligro al que sus conciudadanos permanecen expuestos.

Ari Fleischer, portavoz de la Casa Blanca, dio dos conferencias de prensa improvisadas a bordo del Air Force One durante su largo rodeo. Con el mismo cuidado meticuloso que el presidente Bush, también evitó las palabras "terrorismo" y "terrorista".

En un contexto como este, la activación del procedimiento de Continuidad del Gobierno (CoG) se puede interpretar de dos formas distintas. La explicación más simple es considerar que había que proteger al Presidente y a los responsables políticos de la acción de traidores capaces de provocar un incendio en el Old Executive Building y robar los códigos secretos de la Presidencia y las agencias de información.

Por otra parte, también se puede considerar que el plan CoG no se estableció para proteger a los dirigentes políticos de los traidores, sino que fue establecido por los traidores para aislar a los dirigentes. En efecto, el testimonio del vicepresidente Cheney resulta extraño. Afirma que los hombres del Servicio Secreto lo sacaron de su despacho y que lo condujeron al búnker de la Casa Blanca sin esperar su consentimiento. Da a entender que pasó lo mismo con los principales miembros del Gobierno y el Congreso. ¿Y qué es una operación en la que los servicios secretos raptan a los elegidos por el pueblo y los alojan en los búnkeres "por su seguridad" si no un golpe de Estado o, al menos, un golpe de palacio?

✳ ✳ ✳

Recapitulemos los elementos disponibles: en el anexo de la Casa Blanca se declaró un incendio. Los atentados fueron reivindicados entonces por una llamada telefónica al Servicio Secreto. Los atacantes plantearon exigencias, incluso un ultimátum, y dieron credibilidad a su comunicación utilizando los códigos de transmisión y de autentificación de la presidencia. El Servicio Secreto puso en marcha el procedimiento de Continuidad del Gobierno y resguardó a los principales dirigentes políticos. El presidente Bush negoció con los atacantes por la tarde y al atardecer volvió la tranquilidad.

Así pues, los atentados no fueron dirigidos por un fanático que creía cumplir un castigo divino, sino por un grupo presente en el seno del aparato del Estado norteamericano que logró dictar su política al presidente Bush. Más que un golpe de Estado que pretendía derrocar las instituciones, ¿no se trataría de una toma de poder por parte de un grupo determinado oculto en el seno de las instituciones?

Capítulo 4

El FBI hace aspavientos

Con ese fascinante sentido de la organización del que se enorgullece Estados Unidos, el FBI lanzó el día 11 de septiembre la mayor investigación criminal de la historia de la humanidad: "Penttbomb" (acrónimo de Pentagon-Twin Towers-Bomb). Convocó a la cuarta parte de su plantilla, movilizando a 7.000 funcionarios, de los que 4.000 eran agentes. A sus propios medios añadió los que fueron destacados por otras agencias del Departamento de Justicia: la División Criminal, las Oficinas de los Fiscales, el Servicio de Inmigración y de Naturalizaciones. Además, el FBI se apoyó en el conjunto de la "comunidad norteamericana de la información", particularmente la CIA, la NSA (National Security Agency/Agencia Nacional de Seguridad) y la DIA (Defense Intelligence Agency/Agencia de Defensa e Inteligencia). Por último, el FBI se benefició en el extranjero con la cooperación policial internacional, ya fuera de la INTERPOL o bien directamente de la cooperación bilateral con las policías de los Estados aliados.

Para reunir pruebas, el FBI hizo llamamientos a los testigos a partir de la tarde de los atentados. En el transcurso de los tres primeros días recibió 3.800 mensajes telefónicos, 30.000 correos electrónicos y 2.400 notificaciones de sus agentes de información.

Al día siguiente de los atentados, el FBI ya había logrado establecer el *modus operandi* de los terroristas.[1] Agentes de las redes de Bin Laden se habrían introducido legalmente en territorio norteamericano. Habrían realizado un curso acelerado de pilotos. Agrupados en cuatro equipos de cinco kamikazes, habrían desviado los aviones de línea con el objetivo de estrellarse contra blancos importantes. El 14 de septiembre, el FBI publicaba la lista de los presuntos 19 piratas aéreos.[2]

En el transcurso de las siguientes semanas, la prensa internacional reconstruyó la vida de los kamikazes. Demostró que nada habría permitido a sus amigos y vecinos sospechar de sus intenciones, ni que la policía occidental los descubriera. Camuflados entre la población, evitando cuidadosamente desvelar sus convicciones, esos agentes "durmientes" se habrían "despertado" sólo el día de su misión. Otros "agentes durmientes", agazapados en la sombra, estarían esperando probablemente su momento. Una amenaza indetectable planearía sobre la civilización occidental...

∗ ∗ ∗

En cuanto al aspecto metodológico, es evidente que esta investigación está hecha de prisa y corriendo. En un proceso criminal, con unos hechos tan complejos, la policía habría tenido que sostener multitud de hipótesis y seguir todas las pistas hasta el final, sin menospreciar ninguna. La hipótesis del terrorismo interno se descartó por principio, sin jamás llegarse a estudiar. En su lugar, Osama Bin Laden ya ha-

---

[1] *Briefing* del fiscal general John Ashcroft, el 12 de septiembre de 2001, en http://www.usdoj.gov/ag/speeches/2001/0913pressconference.html.

[2] Conferencia de prensa del fiscal general John Ashcroft y del director del FBI, Robert Mueller III, el 14 de septiembre de 2001; se puede consultar en http://www.usdoj.gov/ag/agcrisisremarks9_14.html.

bía sido señalado con el dedo por "fuentes próximas a la investigación" unas horas más tarde de los atentados. La opinión pública necesitaba culpables; estos fueron designados en el acto.

Se supone que en cada uno de los cuatro aviones desviados, los terroristas se organizaron en equipos de cinco hombres, reunidos a último momento. Sin embargo, en el vuelo 93, que estalló en Pensilvania, sólo había cuatro terroristas: el quinto miembro del comando, Zacarias Moussaoui, fue detenido poco tiempo antes por carecer de permiso de residencia. En un primer momento, el FBI afirmó que los piratas aéreos se habían formado para sacrificarse. Luego, tras la develación del video de Osama Bin Laden, el FBI sugirió que sólo los piratas pilotos eran kamikazes, mientras que sus compañeros no fueron informados hasta el último momento del carácter suicida de su misión. Sea como sea, lo que sorprende es la idea de equipos de kamikazes. En efecto, la psicología del suicida es eminentemente individual. Durante la Segunda Guerra Mundial, los kamikazes japoneses actuaban individualmente, aunque sus acciones pudieran estar concertadas en olas. Más recientemente, los miembros del Ejército Rojo japonés (Rengo Segikun) que exportaron esta técnica a Oriente Próximo cuando se produjo el atentado de Lodd (Israel, 1972), actuaron de tres en tres, pero después de seguir una formación particular para poder acoplarse. Es más, uno de los terroristas de Lodd, Kozo Okamoto, fue capturado vivo. No se conocen ejemplos de equipos kamikazes que se hayan formado a último momento.

Por otra parte, como hizo notar Salman Rushdie[3] con astucia, se puede afirmar que si los piratas eran kamikazes, entonces no eran fundamentalistas islámicos. En efecto, el

---

3 "Fighting the Forces of Invisibility" por Salman Rushdie, en *The Washington Post* del 2 de octubre de 2001.

Corán prohíbe el suicidio. Los fundamentalistas islámicos (talibanes, wahhabitas u otros) se habrían expuesto a la muerte, como mártires, sin posibilidad de escapar a esta, pero no se habrían dado muerte a sí mismos.

No obstante, la teoría de los kamikazes ha sido confirmada por documentos manuscritos en árabe de los que el FBI[4] publicó una traducción inglesa y que fueron recogidos por la prensa internacional. Supuestamente se encontraron tres ejemplares: uno en una maleta, perdida en un enlace, perteneciente a Mohamed Atta; el segundo en un vehículo abandonado en el aeropuerto de Dulles por Nawaf Alhazmi, y el tercero entre los restos del vuelo 93 que estalló en Stoney Creek Township (Pensilvania).[5]

Se trata de cuatro páginas de piadosos consejos:

"1) Haz el juramento de morir y renueva tu intención. Afeita tu cuerpo y lávalo con agua de colonia. Dúchate.

"2) Asegúrate de que conoces bien todos los detalles del plan y espera la respuesta, una reacción del enemigo.

"3) Lee a Al Tawba y Anfal [surates marciales del Corán], reflexiona sobre su significado y piensa en todo lo que Dios prometió a los mártires."

Etcétera.

Redactados en estilo teológico clásico, a menudo impregnados de referencias medievales, estos documentos contribuyeron en gran medida a alimentar la imagen de fanáticos que las autoridades norteamericanas expusieron a la

---

[4] *Briefing* del fiscal general, John Ashcroft, y del director del FBI, Robert Mueller III, el 28 de septiembre de 2001; se puede consultar en http://www.-usdoj.gov/ag/agcrisisremarks9_28.html.

[5] Varios periódicos europeos indicaron por error que el FBI había descubierto este documento en las ruinas del Pentágono.

venganza popular. Con todo, se trata de una falsificación de la que cualquier persona que haya estudiado el islam capta la incongruencia. En efecto, empiezan con la exhortación "en nombre de Dios, de mí mismo y de mi familia" *(sic)*, mientras que los musulmanes —a diferencia de muchas sectas puritanas norteamericanas— no oran jamás en su propio nombre, ni en el de su familia.[6] Asimismo, el texto incluye en un recoveco de una frase un tic del lenguaje yanqui que no tiene lugar en el vocabulario coránico: "debes afrontarlo y entenderlo al 100%" *(sic)*.

El FBI presenta a Mohamed Atta como el líder de la operación. En diez años, este egipcio de 33 años habría vivido en Salou (España), luego en Zurich (Suiza) —donde, según los investigadores, habría comprado, claro está, con tarjeta de crédito, los cuchillos suizos para poder desviar los aviones—, y por último en Hamburgo (Alemania).

Junto con otros dos terroristas cursó estudios de electrotécnica, sin dar nunca que hablar, sin dejar entrever nunca sus convicciones extremistas. Supuestamente, al llegar a Estados Unidos se reunió con sus cómplices en Florida, siguió cursos de pilotaje en Venice e incluso pagó algunas horas en un simulador de vuelo en Miami. Preocupado por esconder su integrismo, Mohamed Atta se esmeró en frecuentar el Olympic Garden de Las Vegas, el mayor cabaret de *topless* del mundo. Este agente sin igual se dirigió a Boston el 11 de septiembre, en un vuelo interno. Teniendo en cuenta el poco tiempo de enlace entre ambos vuelos, perdió las maletas durante el tránsito. Al revisarlas, el FBI descubrió videos de entrenamiento para el pilotaje de

---

6 Curiosamente el periodista estrella Bob Woodward destaca esta anomalía ese mismo día, pero no saca ninguna conclusión. Cf. "In Hijacker's Bags, a Call to Planning, Prayer and Death", en *The Washington Post* del 28 de septiembre de 2001.

Boeing, un libro de plegarias islámicas y una vieja carta en la que anunciaba su intención de morir como mártir. Atta fue identificado como el jefe del comando por un miembro de la tripulación que llamó desde su teléfono celular durante el desvío del avión y que indicó su número de asiento: 8D.

¿Debemos tomar en serio estas informaciones? Habría que admitir que Mohamed Atta procuró durante diez años ocultar cuidadosamente sus intenciones y que se comunicó con sus cómplices siguiendo procedimientos estrictos para escapar a los servicios de información. Sin embargo, en el último momento dejó multitud de indicios tras de sí. Aunque era el líder de la operación, se arriesgó a perder su enlace aéreo el 11 de septiembre y finalmente logró tomar el vuelo 11 de American Airlines, pero sin recuperar las maletas. De hecho, ¿quién llevaría maletas para suicidarse?

¡Más ridículo aún, el FBI afirma haber descubierto el pasaporte *intacto* de Mohamed Atta entre las humeantes ruinas del World Trade Center! Se trata de un verdadero milagro: todavía nos preguntamos cómo ese documento pudo "sobrevivir" a tales peripecias...

Sin duda, el FBI presenta pruebas fabricadas por él. Quizás en esto sólo debamos ver la ofuscada reacción de un servicio de policía que ha mostrado su ineficacia para impedir la catástrofe y que intenta por todos los medios volver a sacar brillo a su escudo.

Más inquietante es la polémica que ha surgido respecto de la identidad de los kamikazes. La prensa internacional comentó ampliamente el perfil de los 19 terroristas señalados por el FBI. Se trataba de hombres entre 25 y 35 años. Eran árabes y musulmanes, la mayoría saudíes. Tenían educación. Actuaban por ideal y no por desesperación.

La única sombra en el perfil de los kamikazes era que el retrato robot se basaba en una lista discutible. La embajada de Arabia Saudí en Washington confirmó que Abdulaziz Alomari, Mohand Alshehri, Salem Alhazmi y Saeed Alghamdi estaban más frescos que una rosa y que vivían en su país. Waleed M. Alshehri, que actualmente vive en Casablanca y trabaja como piloto de Royal Air Maroc, concedió una entrevista al periódico de lengua árabe de Londres, *Al Qods Al Arabi*. El príncipe Saud Al Fayçal, ministro saudí de Asuntos Exteriores, declaró a la prensa: "Se ha demostrado que cinco de las personas nombradas en la lista del FBI no tienen relación alguna con lo que pasó". Mientras que el príncipe Nayef, ministro saudí de Interior, declaró a una delegación oficial norteamericana: "Hasta ahora, no existe ninguna prueba de que los quince ciudadanos saudíes acusados por el FBI estuvieran relacionados con el 11 de septiembre. No hemos recibido ningún dato de Estados Unidos sobre el tema".[7]

¿Cómo se identificó a esos terroristas? Si se hace referencia a las listas de víctimas publicadas por las compañías aéreas el 13 de septiembre, sorprende que no figuren en estas los nombres de los piratas aéreos. Es como si los criminales hubieran sido retirados de las listas para dejar sólo a las "víctimas inocentes" y al personal de la tripulación. Si se cuentan los nombres, aparecen 78 víctimas inocentes en el vuelo 11 de American Airlines (el que se estrelló contra la Torre Norte del WTC), 46 en el vuelo 175 de United Airlines (que se estrelló contra la Torre Sur), 51 en el vuelo 77 de American Airlines (supuestamente estrellado contra el Pentágono), y 36 en el vuelo 93 de United Airlines (que estalló en Pensilvania). Estas listas estaban incompletas, ya que varios pasajeros no habían sido identificados todavía. Si se hace referencia a los comunicados[8] de las compañías aéreas

---

[7] "Saudi Minister Asserts That Bin Laden Is a 'Tool' of Al Qaeda, Not a Mastermind" por Douglas Jehl, en *The Washington Post* del 10 de diciembre de 2001.

[8] Estos comunicados fueron difundidos por la agencia Associated Press.

del 11 de septiembre, puede verse que el vuelo 11 transportaba 81 pasajeros, el vuelo 175 56, el vuelo 77 transportaba 58 pasajeros y el vuelo 93, 38.

Era por lo tanto materialmente imposible que el vuelo 11 transportara a más de tres terroristas y el vuelo 93, a más de dos. La ausencia de los nombres de los piratas aéreos en las listas de pasajeros no significa por consiguiente que se hubieran retirado para que estas fueran "políticamente correctas", sino simplemente que no se encontraban entre los pasajeros. Adiós a la identificación de Atta por un auxiliar de a bordo gracias a su número de asiento, 8D.

✳ ✳ ✳

En resumen, el FBI inventó una lista de piratas aéreos a partir de la que elaboró un retrato robot de los enemigos de Occidente. Se nos pide que creamos que esos piratas eran fundamentalistas islámicos y que actuaban como kamikazes. Se acabó la pista interna estadounidense. En realidad, no sabemos nada, ni de la identidad de los "terroristas", ni de su modo de operar. Todas las hipótesis siguen abiertas. Como en todos los asuntos criminales, la primera pregunta que uno debe plantearse es: "¿A quién beneficia el crimen?".

Precisamente, al día siguiente de los atentados se comprobó que maniobras características de la utilización indebida de información confidencial fueron realizadas en los seis días precedentes al ataque.[9] Las acciones de United Airlines (compañía propietaria de los aviones que se estrellaron en la Torre Sur del World Trade Center y en Pittsburg) cayeron artificialmente un 42%. Las de American Airlines (compañía

9 "Black Tuesday: The World's Largest Insider Trading Scam?", por Don Radlauer, International Policy Institute for Counterterrorism, Israel, 9 de septiembre de 2001 (http://www.ict.org.il/articles/articledet.cfm?articleid=386).

propietaria del aparato que se estrelló contra la Torre Norte del World Trade Center y del que se estrelló en el Pentágono), cayeron un 39%. Ninguna otra compañía aérea en el mundo ha sido objeto de maniobras comparables, salvo KLM Royal Dutch Airlines. De manera que puede deducirse que un avión de la compañía holandesa quizás hubiera sido escogido para ser objeto de un quinto desvío.

Idénticas actuaciones fueron constatadas en las opciones de venta de valores de Morgan Stanley Dean Witter & Co., que se habían multiplicado por doce la semana anterior a los atentados. Ahora bien, esta empresa ocupaba 22 pisos del World Trade Center. Sucedió lo mismo con las opciones de venta de las acciones del primer corredor de bolsa del mundo, Merrill Lynch & Co., cuya sede social está en un edificio vecino que amenazaba con derrumbarse, que se multiplicaron por 25. Y, sobre todo, con las opciones de venta de las acciones de los aseguradores implicados: Munich Re, Swiss Re y Axa.

La Comisión de Control de Operaciones Bursátiles de Chicago fue la primera en dar el alerta. Comprobó que, en la Bolsa de Chicago, los poseedores de la información confidencial habían realizado 5 millones de dólares en plusvalías con United Airlines, 4 millones de dólares con American Airlines, 1,2 millones de dólares con Morgan Stanley Dean Witter & Co. y 5,5 millones de dólares con Merrill Lynch & Co.

Ante los investigadores, los poseedores de información confidencial renunciaron prudentemente a percibir 2,5 millones de dólares en beneficios de American Airlines, que no habían tenido tiempo de cobrar antes de que se diera el alerta.

Las autoridades de control de cada gran plaza bursátil relevan los beneficios realizados por los poseedores de información confidencial. Las investigaciones son coordinadas por la IOSCO (Organización Internacional de Comisiones de Valores).[10] El 15 de octubre tuvo lugar una videoconferencia en la que las autoridades nacionales presentaron sus informes de la temporada. En estos aparecía que los beneficios ilícitos implicarían cientos de millones de dólares, constituyendo el "mayor delito de utilización indebida de información confidencial jamás cometido".

Osama Bin Laden, cuyas cuentas bancarias estaban bloqueadas desde 1998, no disponía del dinero necesario para esta especulación. El gobierno talibán del Emirato Islámico de Afganistán tampoco tenía medios financieros.

En efecto, el presidente Bill Clinton ordenó congelar todos los haberes financieros de Osama Bin Laden, de sus asociados, de sus asociaciones y empresas, mediante la Executive Order 13099, simbólicamente firmada el 7 de agosto de 1998 (día de la respuesta a los atentados de Nairobi y Daar-es-Salam). Esta decisión se internacionalizó en base a la Resolución 1193 del Consejo de Seguridad de Naciones Unidas (13 de agosto de 1998). Bill Clinton extendió la medida a las cuentas bancarias de los talibanes, y a sus asociados y satélites en virtud de la Executive Order 13129 del 4 de julio de 1999. En definitiva, el congelamiento mundial de los haberes de las personas y organizaciones relacionadas con la financiación del "terrorismo internacional" fue pronunciado en virtud de la Resolución 1269 del Consejo de Seguridad de Naciones Unidas (19 de octubre de 1999). A partir de esa fecha, se tornó completamente ridículo seguir hablando del "millonario Osama Bin Laden", porque ya no tenía acceso posible a su fortuna personal. Los medios de los que disponía sólo podían proceder de una ayuda secreta —estatal o no—, que ya no podía ser la del Emirato Islámico de Afganistán.

[10] Sitio oficial de IOSCO: http://www.iosco.org/iosco.html.

Se pudo establecer que la mayor parte de las transacciones fueron "efectuadas" por el Deutsche Bank y su filial norteamericana de inversiones, Alex.Brown.[11] Esta sociedad estuvo dirigida, hasta 1998, por un personaje singular, A.B. Krongard. Capitán de *Marines,* amante de las armas y las artes marciales, este banquero se convirtió en consejero del director de la CIA y, desde el 26 de marzo, número 3 de la Agencia de Información norteamericana. Teniendo en cuenta la importancia de la investigación y la influencia de A.B. Krongard, cabría pensar que Alex.Brown cooperó sin dificultades con las autoridades para facilitar la identificación de los poseedores de información confidencial. Pero no sucedió así.

Por muy extraño que parezca, el FBI renunció a explorar esta pista y el IOSCO cerró su investigación sin resolver el asunto. Sin embargo, es fácil "rastrear" los movimientos de capitales, ya que todas las transacciones interbancarias son archivadas por dos organismos de *clearing.*[12]

Se podría admitir que, teniendo en cuenta la importancia de lo que estaba en juego, hubiera sido posible forzar el secreto bancario y encontrar a los felices beneficiarios de los atentados del 11 de septiembre. Pero no fue así.[13]

---

[11] "Suspicious Profits Sit Uncollected Airlines Investors Seem to Be Lying Low" por Christian Berthelsen y Scott Winokur, *San Francisco Chronicle*, 29 de septiembre de 2001.

[12] Denis Robert y Ernest Backes: *Révélation$,* Les Arènes, 2001; en http://www.arenes.fr/livres/page-livre1.php?numero_livre=4&num_page=1.

[13] El FBI tampoco se interesó por el propietario de unos nombres de dominios de Internet premonitorios: según la empresa de registros VeriSign, un operador no identificado compró durante un año, en 2000, 17 nombres de dominios de Internet que caducaban el 14 de septiembre de 2001 y que nunca fueron utilizados. Se trata de: attackamerica.com, attackonamerica.com, attackontwintowers.com, august11horror.com, august11terror.com, horrorinamerica.com, horrorinnewyork.com, nycterroriststrike.com, pearlharborinmanhattan.com, terrorattack2001.com, towerofhorror.com, tradetowerstrike.com, worldtradecenter929.com, worldtradecenterbombs.com, worldtradetowerattack.com, worldtradetowerstrike.com y wterroristattack2001.com.

∗ ∗ ∗

El FBI, en disposición de unos medios de investigación sin precedentes, debería haber aclarado cada una de las contradicciones a las que nos hemos referido. Debería haber estudiado prioritariamente el mensaje de los atacantes del Servicio Secreto para identificarlos. Debería haber establecido lo que verdaderamente ocurrió en el Pentágono. Debería haber rastreado a los agentes financieros poseedores de información confidencial. Debería haber ido hasta el origen de los mensajes de alerta enviados a Odigo dos horas antes del atentado para prevenir a los ocupantes del World Trade Center. Etcétera.

Ahora bien, como hemos señalado, lejos de realizar una investigación criminal, el FBI se esmeró en hacer desaparecer las pruebas y amordazar a los testigos. Apoyó la versión del ataque externo e intentó darle credibilidad divulgando una lista improvisada de piratas aéreos y fabricando pistas falsas según su conveniencia (pasaporte de Mohamed Atta, instrucciones de los kamikazes, etcétera).

Esta operación de manipulación fue orquestada por su director, Robert Mueller III. Este hombre indispensable fue nombrado por George W. Bush y había asumido sus funciones precisamente la semana anterior al 11 de septiembre.

¿Esta pseudoinvestigación se realizó para instruir un proceso justo o para ocultar las responsabilidades norteamericano-norteamericanas y justificar las operaciones militares venideras?

Véase "Internet Domain Names May Have Warned of Attacks", e "Investigators Can Access Internet Domain Data", por Jeff Johnson, en CNSNews.Com del 19 y 20 de septiembre de 2001.

Segunda parte

Muerte de la democracia en Norteamérica

Capítulo 5

¿Respuesta o ganga?

L a noche del 11 de septiembre el presidente George W. Bush se dirige a la nación en un solemne mensaje televisado con aires místicos:[1] "(...) Estados Unidos ha sido blanco de un ataque porque es el faro más brillante de la Libertad y el Progreso en el mundo. Y nadie hará que esa luz se apague. Hoy, nuestra nación ha visto la Maldad, lo peor de la naturaleza humana. Y hemos reaccionado con lo mejor de Estados Unidos, con la valentía de nuestros servicios de rescate, los cuidados al prójimo y los vecinos que acudieron a dar sangre y a ayudar como pudieron. (...) Ya estamos buscando a quienes están detrás de estos actos malvados. He encauzado todos los recursos de nuestra inteligencia y nuestras comunidades que velan por el cumplimiento de la ley para encontrar a los responsables y llevarlos a juicio. No haremos distinción alguna entre los terroristas que han cometido estos actos y los que los protejan. (...) Esta noche os pido que recéis por todos los que sufren, por los niños cuyo mundo ha sido hecho pedazos, por todos aquellos cuya seguridad ha sido amenazada. Y rezo para que puedan ser reconfortados por un poder superior, cuyas palabras

---

[1] Statement by the President in His Address to the Nation, 11 de septiembre de 2001, http://www.whitehouse.gov/news/releases/2001/09/20010911-16.html.

nos han llegado a través de los años en el Salmo 23: 'Cuando camino por el valle de la sombra de la muerte, no temo mal alguno; porque Tú estás conmigo'. Hoy es un día en que todos los estadounidenses estamos unidos por nuestra determinación en favor de la justicia y la paz. Estados Unidos ya se enfrentó a enemigos en el pasado, y volveremos a hacerlo otra vez. Ninguno de nosotros olvidará jamás este día. Por eso, seguiremos defendiendo la Libertad y todo lo que es Justo y Bueno en este mundo. Gracias. Buenas noches y que Dios bendiga a Estados Unidos".

A pesar de este mensaje de unidad y en un momento en que la responsabilidad de Osama Bin Laden sólo estaba considerada oficialmente como una hipótesis, en el seno de su administración se ponderan dos opciones políticas contradictorias. Los moderados, agrupados en torno al secretario de Estado, el general Colin Powell, y del Jefe de Estado Mayor Conjunto, el general Hugh Shelton, recomiendan una respuesta proporcional, basada en el modelo de la respuesta ordenada en 1998 por Bill Clinton. En ese año se lanzaron misiles Tomahawks desde submarinos que cruzaban el mar de Omán a los campos de entrenamiento de Al Qaeda (Afganistán) y al laboratorio de Al Shifa (Sudán) como respuesta a los atentados perpetrados contra las embajadas norteamericanas en Daar-es-Salam y Nairobi. En cambio, los "halcones" señalan que esos golpes no tuvieron ningún efecto, ya que Al Qaeda había reanudado sus ataques. Según ellos, sólo una intervención militar en suelo afgano permitiría erradicar definitivamente las bases de Osama Bin Laden. Pero la campaña no deberá detenerse allí, deberá continuar destruyendo igualmente todas las demás amenazas potencia-

2 Christopher Hitchens: *Les Crimes de Monsieur Kissinger,* Saint-Simon, 2001.

les, es decir, todas las organizaciones y Estados susceptibles de convertirse en amenazas comparables a Al Qaeda.

El veterano Henry Kissinger,[2] ex secretario de Estado y supervisor de todas las acciones clandestinas de los servicios secretos norteamericanos de 1969 a 1976, es la figura tutelar, el inspirador de los "halcones". Apenas termina la intervención televisiva del Presidente,[3] publica un artículo de opinión en el sitio de Internet de *The Washington Post,* en el que pone los puntos sobre las íes:

"El Gobierno debería asumir la misión de dar una respuesta sistemática que lleve, como se espera, al mismo resultado que la que siguió al ataque de Pearl Harbor –la destrucción del sistema responsable de este ataque–. Este sistema es una red de organizaciones terroristas que se refugian en las capitales de algunos países. En un buen número de casos, no penalizamos a esos países por el hecho de refugiar a esas organizaciones; en otros casos incluso mantenemos relaciones casi normales con ellos. (...) Todavía no sabemos si Osama Bin Laden es el autor de esas acciones, aunque estas lleven la firma de una operación tipo Bin Laden. No por ello cualquier Gobierno que dé cobijo a grupos capaces de cometer este tipo de ataques, aunque esos grupos no hayan participado en los ataques de hoy, deberá dejar de pagar un precio exorbitante por ello. Debemos responder con tranquilidad, de un modo reflexivo pero inexorable."

* * *

Mientras la opinión pública norteamericana seguía bajo el efecto del *shock* y lloraba a sus muertos, los días 12 y 13

---

[3] La alocución del presidente Bush empezó a las 20.30 y el artículo de opinión del Dr. Kissinger se "colgó" en la red a las 21.04. Véase "Destroy the Network", por Henry Kissinger, en *The Washington Post,* 11 de septiembre.

de septiembre estuvieron dominados, en la administración estadounidense y en los gobiernos de todo el mundo, por tres preguntas: ¿George W. Bush señalará a Al Qaeda como responsable de los atentados? ¿Qué tipo de operación ordenará en Afganistán? y ¿Comprometerá a su país en una guerra de larga duración contra todos los enemigos reales y supuestos?

Los funcionarios norteamericanos multiplican sus revelaciones a los medios de comunicación para acusar a Osama Bin Laden y a su organización, Al Qaeda, como el patrocinador y ejecutor de los atentados. El director de la CIA, George Tenet, presenta al presidente Bush una serie de informes sobre la intercepción de las comunicaciones de Al Qaeda del 11 de septiembre.[4] Según estos, los atentados se habían planificado desde hacía dos años y constituían sólo el principio de una larga serie de atentados en los que el Capitolio y la Casa Blanca figuraban entre los blancos. Al parecer, los dirigentes de Al Qaeda habían creído, erróneamente, haber alcanzado varios objetivos, por lo que habían "dado gracias a Dios por las explosiones en el edificio del Capitolio", habían alabado la "destrucción de la Casa Blanca" y habían celebrado "el plan del doctor" (es decir del doctor Ayman Zawahri, el brazo derecho de Osama Bin Laden). La operación habría sido desencadenada por Abu Zubayda, sospechoso ya de ser el organizador del atentado contra el destructor USS Cole en octubre de 2000, que habría dado la señal de la "hora cero".

El presidente Bush se dirigió entonces a la prensa:[5]

---

4 "Wednesday, September 12" por Bob Woodward y Dan Balz, en *The Washington Post* del 28 de enero de 2002.

5 "Remarks by the President in Photo Opportunity with the National Security Team", 12 de septiembre de 2001; este material se puede consultar en http://www.whitehouse.gov/news/releases/2001/09/20010912-4.html.

"Acabo de concluir una reunión con mis consejeros en materia de seguridad nacional, en la que nuestros servicios de información nos han suministrado las últimas actualizaciones.

"Los deliberados y letales ataques perpetrados ayer contra nuestro país eran algo más que actos de terror. Eran actos de guerra. Por lo tanto, nuestro país tiene que unirse con una determinación y firmeza en la que no caben fisuras. La libertad y la democracia han sido atacadas.

"El pueblo estadounidense debe saber que el enemigo al que nos enfrentamos no se parece a ningún enemigo del pasado. Este se agazapa en la sombra y no siente respeto alguno por la vida humana. Es un enemigo que ataca a gente inocente y confiada, y luego corre a esconderse. Pero no podrá correr indefinidamente. Es un enemigo que piensa que sus refugios son seguros, pero no lo serán eternamente.

"Este enemigo ha atacado no sólo a nuestro pueblo, sino a todos los pueblos amantes de la libertad de todo el mundo. Estados Unidos utilizará todos los recursos a su alcance para vencer al enemigo. Reuniremos a las fuerzas del mundo. Tendremos paciencia. Nos concentraremos en nuestro objetivo y nuestra determinación será inquebrantable.

"Esta lucha exigirá tiempo y determinación. Pero que no quepa duda: ganaremos. (...) Pero no permitiremos que este enemigo gane la guerra cambiando nuestro modo de vida o restringiendo nuestras libertades.

"Esta mañana, he remitido al Congreso una solicitud de fondos de emergencia para disponer de todos los medios necesarios para auxiliar a las víctimas, para ayudar a los ciudadanos de Nueva York y Washington a superar esta tragedia y para proteger nuestra seguridad nacional.

"Quisiera dar las gracias a los miembros del Congreso por su unidad y su apoyo. Estados Unidos está unido. Las naciones del mundo amantes de la libertad están con nosotros.

Esta lucha del Bien contra el Mal será monumental, pero prevalecerá el Bien."

Salvo el Foreign Office británico, que multiplica las declaraciones marciales, los dirigentes de todo el mundo observan con inquietud las reacciones del presidente Bush. Enseguida se enteran de que los servicios de información alemán, egipcio, francés, israelí y ruso habían alertado en vano a sus homólogos norteamericanos sobre lo que se preparaba, pero la CIA minimizó la amenaza. También se preguntan sobre la fiabilidad de los informes –de repente tan indiscretos– de la CIA y de los progresos –demasiado rápidos– de la investigación del FBI. Temen que, para alentar a la opinión pública interna, el presidente Bush señale apresuradamente a un culpable circunstancial y comprometa a su país en una respuesta militar inmediata y desproporcionada.

El mismo día, el Consejo de Seguridad de Naciones Unidas adopta su resolución 1368.[6] Reconoce "el derecho inherente de Estados Unidos a la legítima defensa individual o colectiva de acuerdo con la Carta de San Francisco". Estipula que "el Consejo de Seguridad insta a todos los Estados a que colaboren con urgencia para someter a la acción de la justicia a los autores, organizadores y patrocinadores de esos ataques terroristas y subraya que los cómplices de los autores, organizadores y patrocinadores de estos actos y los responsables de darles apoyo o asilo tendrán que rendir cuentas de sus actos". En otras palabras, el Consejo de Seguridad reconoce el derecho de Estados Unidos de violar, si es necesario, la soberanía de los Estados que protegen a los autores de los atentados para detener a los terroristas y llevarlos ante la justicia internacional. Sin embargo, no autoriza a Esta-

6 Resolución 1368 del Consejo de Seguridad de Naciones Unidas, 12 de septiembre de 2001, en http://www.un.org/spanish/docs/sc01/sres1368.pdf.

dos Unidos a tomarse la justicia por su mano o a atacar a Estados y derrocar gobiernos.

Por la tarde, el Consejo de la Alianza Atlántica se reúne a puerta cerrada. Los Estados miembros deciden ayudar a Estados Unidos —y no comprometer sus propias fuerzas— para dar respuesta al ataque sufrido. La reunión del Consejo ha sido inusualmente tensa. Algunos miembros piensan que los atentados pueden haber sido patrocinados desde el interior del aparato de Estado norteamericano y rechazan precipitarse a una "guerra contra el terrorismo" cuyos límites y objetivos están mal definidos. Al salir de la reunión, el secretario general de la OTAN, Lord George Robertson, declara: "Si se confirma que este ataque ha sido dirigido desde el extranjero contra Estados Unidos [sic], será asimilado a una acción regulada por el artículo 5 del Tratado de Washington".[7] Preocupado por el rumbo de los acontecimientos, el presidente francés, Jacques Chirac, llama por teléfono a George W. Bush. Después de recordarle que Francia siempre se ha mostrado el aliado más leal a Estados Unidos, aunque no el más dócil, le explica educadamente que la decisión del Consejo Atlántico no es un cheque en blanco, un apoyo ciego a la política norteamericana.

Días más tarde, Jacques Chirac viaja a Estados Unidos con motivo de una visita prevista desde hacía tiempo. Por una parte, multiplica las declaraciones de afectuosa solidaridad con el pueblo norteamericano. Por otra, organiza una conferencia de prensa común con el secretario general de Naciones Unidas, Kofi Annan, para enfriar la vehemencia norteamericana. Declara sin rodeos: "la respuesta nor-

---

[7] La OTAN reafirma sus compromisos adquiridos de acuerdo con el Tratado que se firmó tras los ataques terroristas contra Estados Unidos, Servicio de Prensa de la OTAN, 12 de septiembre de 2001 (http://www.nato.int/docu/update-/2001/0910/f0912a.html).

teamericana debe realizarse contra los terroristas identificados y eventualmente contra los países o los grupos que se
haya demostrado que han ayudado a esos grupos terroristas
identificados".[8]

El temor de las Cancillerías parece confirmarse con un
incidente ocurrido durante la conferencia de prensa[9] del fiscal general, John Ashcroft, y del director del FBI, Robert
Mueller III. El jefe de la policía explica a los periodistas la
necesidad de no precipitar la investigación para poder reunir las pruebas necesarias que condenen a los sospechosos
cuando el ministro de Justicia lo interrumpe bruscamente.
John Ashcroft subraya que el tiempo apremia y que la misión
del FBI es detener lo antes posible a los cómplices de los terroristas antes de que se cometan nuevos crímenes. ¡Las
pruebas se llevan la peor parte!

El 13 de septiembre el tono sube. Por la mañana se evacua parcialmente la Casa Blanca tras un alerta antiterrorista
—se ha convertido en una costumbre— y se conduce al vicepresidente Cheney a un lugar lejano y seguro. Falsa alarma y
verdadero psicodrama. Por la tarde, el secretario adjunto de
Defensa, Paul Wolfowitz, abre la conferencia de prensa del
Pentágono.[10] Wolfowitz es el portavoz nombrado por el
grupo conservador más extremista en el interior del *lobby*
militar e industrial. Milita desde hace años para "terminar el
trabajo sucio" en Irak y ve en los acontecimientos del 11 de
septiembre una fácil justificación para el deseado derrocamiento de Saddam Hussein. No cita ningún blanco en el
transcurso de su conferencia de prensa, ni Afganistán, ni

---

8 Documento de la ONU SG/SM/7964; este material se puede consultar en
http://www.un.org/News/fr-press/docs/2001/SGSM7964.doc.html.

9 "Media Briefing en la sede del FBI", 12 de septiembre de 2001, 9.30 hs.

10 Dod News Briefing, 13 de septiembre de 2001; puede consultarse en
http://www.defenselink.mil/news/Sep2001/t09132001_t0913dsd.html.

Irak. Pero subraya que la respuesta norteamericana será "una campaña, no una acción aislada". E insiste: "Perseguiremos a esas personas [a los terroristas] y a los que los apoyan hasta que esto termine. Así es como hay que actuar".

El secretario de Estado, Colin Powell, creyendo que tomaba la delantera a los "halcones", presenta a Osama Bin Laden como "el principal sospechoso" y prepara a toda velocidad una intervención —que desea limitada— en Afganistán. Lanza una especie de ultimátum a Pakistán para ordenar que ponga a disposición de Estados Unidos todas las infraestructuras militares de las que dispone y que ponga fin de inmediato a toda relación política y económica con el régimen talibán.[11]

* * *

En realidad, como veremos, el debate que alborota a Washington no es nuevo. Las dos opciones (ataques puntuales contra Afganistán o guerra general contra el terrorismo) habían sido estudiadas y preparadas antes de los atentados. Su razón de ser no tiene vínculo alguno con los acontecimientos del 11 de septiembre, aunque estos sean la coartada que da paso a la acción. Desde ese momento, la pelea se limita a saber si la opinión pública puede admitir únicamente ataques a blancos concretos o está lo bastante conmovida como para aceptar una guerra a largo plazo. En definitiva, el impacto psicológico resultará tan importante que los estrategas de Washington no tendrán que elegir y podrán activar ambas opciones.

A mediados de julio de 2001, tras comprobar el fracaso de las negociaciones —entre todas las partes implicadas— de

---

11 "US Ask Pakistan for Help to Track Down Bin Laden" por Robin Wright y John Daniszewski, en *Los Angeles Times* del 14 de septiembre de 2001.

Berlín sobre el futuro de Afganistán, la delegación norteamericana dirigida por Tom Simmons (ex embajador en Pakistán), Karl Inderfurth (ex asistente del secretario de Estado) y Lee Coldren (ex experto del Departamento de Estado) endurece su posición. Según el ex embajador de Pakistán en París, Niaz Naik, que participaba en las negociaciones, los norteamericanos declararon que invadirían Afganistán a mediados de octubre y que derrocarían el régimen talibán.[12]

A principios de septiembre, bajo la protección de sus maniobras anuales en el mar de Omán, llamadas Essential Harvest, el Reino Unido procedió al mayor despliegue de su flota desde la guerra de Malvinas y a la concentración de fuerzas a lo largo de Pakistán. Mientras tanto, la OTAN, con motivo de las maniobras Bright Star en Egipto, trasladó 40.000 soldados a la zona. Así, las fuerzas angloamericanas se posicionaron previamente en la zona antes de los atentados.

En cuanto a la "guerra contra el terrorismo", el Estado Mayor Conjunto estadounidense la había preparado durante mucho tiempo con la ayuda de dos "War Games" (simuladores de guerra): Global Engagement IV y JEFX 99.[13] Puso a punto los procedimientos tácticos durante una última simulación en junio de 2000. Pero el War Game programado inicialmente para junio de 2001 fue anulado, lo que hizo que los oficiales implicados lo interpretaran como la señal de un paso a la acción inminente.

A los estadounidenses siempre les ha repugnado tomar

---

[12] "US Planned Attack on Taleban", BBC, 18 de septiembre de 2001 y "Secret Memo Reveals US Plan to Overthrow Taleban Regime", en *The Guardian* del 21 de septiembre de 2001.

[13] "A New Mindset for Warfare", por William M. Arkin, en *The Washington Post* del 22 de septiembre de 2001.

la iniciativa de una guerra. En el pasado, se esmeraron en presentar sus compromisos militares como respuestas legítimas. Con los atentados del 11 de septiembre, encontraron la oportunidad soñada.

Capítulo 6

¿De la oración fúnebre a la guerra santa?

Como es raro que se haga una guerra sin poner a Dios de su propio lado, los predicadores, aun más que los estrategas militares, son los que invaden los estudios de televisión. Todos interpretan los atentados como una señal divina que ha llamado a Norteamérica a convertirse. "Dios Todopoderoso nos ha retirado su protección", escribe el reverendo Pat Robertson, líder de la muy influyente Christian Coalition, "porque nos revolcamos en busca de los placeres materiales y el sexo".

En su programa guía, *700 Club* (Fox Channel), el pastor Pat Robertson recibe a su amigo el pastor Jerry Falwell. Los dos teleevangelistas analizan los acontecimientos que acaban de consternar a Norteamérica:[1]

"Dios sigue levantando el telón y permite a los enemigos de Norteamérica que nos inflijan lo que probablemente nos merecemos", declara Falwell.

"Jerry, eso es lo que creo", le contesta Robertson.

"Creo que sólo acabamos de descubrir la antecámara del terror. Ni siquiera hemos empezado a ver lo que pueden infligir a la mayoría de la población."

---

[1] "God Gave US 'What We Deserve', Falwell Says", por John Harris, en *The Washington Post* del 14 de septiembre de 2001.

Falwell se ensaña entonces contra la ACLU [Asociación de Defensa de las Libertades Individuales], los tribunales federales y todos los que "expulsan al Señor de la esfera pública". "Los abortistas deben cargar con su parte de culpa, ya que uno no puede burlarse de Dios", prosigue. "Y cuando destruimos 40 millones de bebés inocentes, a Dios le da rabia. Estoy convencido de que los ateos, los abortistas, las feministas, los gays y las lesbianas que se esfuerzan activamente para que esto sea un modo de vida alternativo, la ACLU, los People for the American Way, todos esos que han intentado secularizar Norteamérica... los señalo con el dedo y les digo: habéis permitido que esto suceda."

Es en este contexto —en el que la retórica religiosa sirve a los intereses políticos y militares— que, mostrándose como el jefe espiritual de Norteamérica y del mundo civilizado, el presidente Bush publica el siguiente decreto:[2] "Nuestro corazón está afligido por la repentina e insensata desaparición de estas vidas inocentes. Rezamos para restablecernos y para encontrar la fuerza que nos ayude mutuamente y animarnos unos a otros con la esperanza y en la fe. Las Escrituras dicen: 'Afortunados los afligidos, pues serán consolados'. Invito a todas las familias de Norteamérica y a la Familia de Norteamérica a guardar un Día Nacional de Oración y de Recuerdo para honrar la memoria de los miles de víctimas de esos brutales ataques y para alentar a los que han perdido a sus seres queridos. Superaremos esta tragedia nacional y estas pérdidas personales. Con el tiempo, cicatrizaremos nuestras heridas y nos levantaremos de nuevo. Frente a todo este Mal, nos mantendremos fuertes y unidos, 'una nación bajo la mirada de Dios'.

---

[2] "Proclamation by the President of the United States of America", 13 de septiembre de 2001 (http://www.whitehouse.gov/news/releases/2001/09-/20010913-7.html).

"Por eso, el abajo firmante, yo, George W. Bush, presidente de Estados Unidos de América, en virtud de la autoridad que me confieren la Constitución y el derecho de Estados Unidos, proclamo el viernes 14 de septiembre de 2001 Día Nacional de la Oración y de Recuerdo de las víctimas de los ataques terroristas del 11 de septiembre de 2001. Pido que el pueblo de Estados Unidos y los lugares de culto celebren este Día de Oración y de Recuerdo con servicios conmemorativos al mediodía, que doblen las campanas a esa hora, y, por la noche, que se realicen velatorios de recuerdo a la luz de las velas. Exhorto a los empresarios a que permitan a sus trabajadores a tomarse tiempo libre durante la hora del almuerzo para asistir a los servicios de oración del mediodía. Invito a los pueblos del mundo que comparten nuestro dolor a unirse a estas solemnes ceremonias.

"Para dar fe de ello, firmo este documento en este treceavo día de septiembre del año 2001 de Nuestro Señor, 226° año de la independencia de Estados Unidos de América."[3]

En la Catedral Nacional se celebra una ceremonia sin precedentes. El presidente Bush y su esposa, cuatro ex presidentes (Bill Clinton, George Bush padre, James Carter y Gerald Ford), la casi totalidad de los senadores y representantes rezan juntos. Un cardenal, un rabino, un imán conducen por turnos la ceremonia. El teleevangelista más famoso del mundo, el pastor Billy Graham, que convirtió quince años atrás a George W. Bush, pronuncia una homilía:[4] "Una

---

[3] Para el presidente norteamericano, las dos fechas centrales en torno a las que se ordena la Historia de la Humanidad son por consiguiente el nacimiento de Jesucristo y el nacimiento de Estados Unidos, llamados uno y otro a salvar el mundo.

[4] "Billy Graham's Message", 14 de septiembre de 2001 (http://www.billygraham.org/newsevents/ndprbgmessage.asp).

de las cosas que necesitamos en este país es una renovación espiritual por completo. Necesitamos una renovación espiritual en Norteamérica. Y Dios nos ha dicho con Su Palabra, siglo tras siglo, que debemos arrepentirnos de nuestros pecados, volvernos hacia Él y Él nos bendecirá de un nuevo modo (...) Ahora podemos elegir: o bien estallar y desintegrarnos emocional y espiritualmente, como pueblo y como nación, o bien ser más fuertes después de esas pruebas y reconstruir sobre cimientos seguros. Y creo que estamos empezando a reconstruir sobre esos cimientos que son nuestra Fe en Dios (...) Sabemos también que el Señor dará sabiduría, valentía y fuerza al Presidente y a los que lo rodean. Y recordaremos este día como el de una victoria".

El presidente Bush sube al púlpito y pronuncia también una homilía.[5] Ha sido preparada por su consejero, el fundamentalista bíblico Michael Gersen: "(...) Nuestra responsabilidad ante la Historia está clara: debemos responder a esos ataques y liberar al mundo del Mal. Se ha librado una guerra contra nosotros con astucia, engaño y asesinatos. Nuestra nación es pacífica, pero cuando se enfurece, se vuelve implacable (...). Las señales de Dios no siempre son las que buscamos. Aprendemos con la tragedia que Su voluntad no siempre es la nuestra. Sin embargo, las oraciones y el sufrimiento, ya sea en nuestros hogares o en esta gran catedral, son escuchadas y comprendidas. Hay oraciones que nos ayudan a subsistir durante el día o a sobrellevar la noche. Hay oraciones de amigos y extraños, que nos dan fuerzas para continuar. Y hay oraciones que someten nuestra voluntad a una voluntad más poderosa que la nuestra. (...) Norteamérica es una nación bendecida por la fortuna, colmada de favores. Pero no hemos sido dispensados del sufrimiento. Du-

---

[5] "President's Remarks at National Day of Prayer and Remembrance", en http://www.whitehouse.gov/news/releases/2001/09/20010914-2.html.

rante todas las generaciones, el mundo ha engendrado enemigos de la libertad humana. Han atacado nuestro país, porque es el alma y el defensor de la libertad. Y el compromiso adquirido por nuestros padres se ha convertido en la llamada de nuestros tiempos. En este día nacional de oración y conmemoración pedimos a Dios Todopoderoso que vele por nuestra nación y nos otorgue la paciencia y la voluntad para todo lo que ha de venir. Rogamos para que Él aliente y consuele a todos los que están sumidos en la aflicción. Le damos las gracias por cada una de las vidas de las que debemos llorar la pérdida y por cada promesa de una nueva vida. Él nos ha asegurado que ni la muerte, ni la vida, ni los ángeles, ni los principados, ni los poderes de este mundo, ni el presente o el futuro, ni las alturas o las profundidades, podrán separarnos del amor a Dios. Que Dios bendiga las almas de los difuntos. Que Dios consuele nuestras propias almas. Y que guíe a nuestro país para siempre. ¡Que Dios bendiga a Norteamérica!".

The Washington Post analizará con posterioridad la metamorfosis de George W. Bush: "Por primera vez desde que el conservadurismo religioso se ha convertido en movimiento político, el presidente de Estados Unidos se ha convertido en su líder *de facto* —un estatus que incluso Ronald Reagan, adulado por los conservadores religiosos, no pudo alcanzar jamás—. Las revistas cristianas, las radios y televisiones, muestran a Bush rezando, mientras los predicadores en el púlpito califican a su líder de acto de la Providencia. Una procesión de líderes religiosos que se han encontrado con él atestiguan su fe, distintos sitios en Internet animan a la gente a ayunar y a rogar por el Presidente".[6]

Al mediodía del 14 de septiembre, los 43 Estados del

6 "Religious Right Finds Its Center in Oval Office", por Dana Milbank, en *The Washington Post* del 24 de diciembre de 2001.

Consejo de Europa[7] (Rusia incluida) y muchos otros países de todos los continentes, siguiendo el ruego del presidente de Estados Unidos, guardan tres minutos de silencio en memoria de las víctimas de los atentados. Todos manifiestan así su aceptación tácita del liderazgo de un fundamentalista iluminado que les anuncia su intención de llevarlos a una "batalla monumental contra el Mal".[8] ¿Será contagioso el delirio político y místico de los teleevangelistas?

Ni la conmoción psicológica, ni el respeto que se puede sentir por las víctimas pueden explicar este intenso fervor religioso. Aunque Estados Unidos sea originariamente una teocracia fundada por puritanos que huían de la intolerancia de la Corona británica, no es por eso una nación beata en la que los teleevangelistas hacen las veces de estrategas militares. Además, no existe precedente histórico alguno en el que un presidente norteamericano haga una declaración de guerra en una catedral.

El llamado de George W. Bush a los "pueblos del mundo que comparten nuestro dolor a unirse a estas solemnes ceremonias religiosas" fue observado incluso en la Francia laica. Así, los dos jefes del Ejecutivo, el presidente Jacques Chirac y el Primer Ministro Lionel Jospin firmaron, el 12 de septiembre, un decreto redactado como sigue: "Se declara el viernes 14 de septiembre de 2001 día de luto nacional en homenaje a las víctimas de los atentados cometidos en Estados Unidos el 11 de septiembre de 2001".[9] Acompañados

---

7 "800 millones de europeos de luto por las víctimas de los atentados en Estados Unidos", Comunicado del Consejo de Europa del 13 de septiembre de 2001 (http://press.coe.int/cp/2001/628f(2001).html).

8 "Remarks by the President in Photo Opportunity with the National Security Team", 12 de septiembre de 2001 (http://www.whitehouse.gov/news/releases-/2001/09/20010912-4.html).

9 Décret NOR: HRUX0101919D, *Journal officiel de la République française* del 13 de septiembre de 2001, pág. 14582.

por una cohorte de funcionarios y de ministros, la víspera asistieron a un servicio ecuménico en la iglesia norteamericana de París. Juntos entonaron el célebre cántico *God Bless America!*.[10]

Estas plegarias impuestas por decreto suscitaron, aquí y allí, intensas polémicas. Los opositores señalaron que este teatro mundial parecía dar credibilidad a que las miles de víctimas estadounidenses valían más que todas las víctimas de los recientes genocidios, que no tuvieron derecho a un homenaje así. Entendemos esta controversia como un rechazo a la manipulación política del sentimiento religioso. Tres minutos de silencio para tomar conciencia de que los conflictos pueden arreglarse pacíficamente, sin recurrir al terrorismo, habrían obtenido el consentimiento de todo el mundo, pero no una plegaria sólo para las víctimas del terrorismo en territorio norteamericano. Estas ceremonias no expresaban una aspiración colectiva por la paz, sino que pretendían justificar la venganza venidera.

Ese momento de plegaria constituye un hito histórico. Estados Unidos entró en guerra cuando el himno nacional resonó en la catedral, escribirá más tarde *The Washington Post*.[11] Una afirmación que puede ampliarse: el mundo ha entrado en guerra asociándose al luto norteamericano.

Desde entonces nos preguntamos cómo se organizó este homenaje unánime. A diferencia de la movilización de las alianzas militares, ningún tratado internacional prevé la obligación de recogimiento cuando Estados Unidos está de luto. No obstante, fue más fácil y más rápido decretar el luto internacional que utilizar los tratados de la OTAN, el ANZUS y la

---

[10] *God Bless America* es un cántico compuesto por Irving Berlin durante la Segunda Guerra Mundial. Se ha convertido en una especie de himno nacional oficial.
[11] "War Speech in a Cathedral: A Stedfast Resolve to Prevail", por Dan Balz y Bob Woodward, en *The Washington Post* del 30 de enero de 2002.

OEA.[12] Examinado con más detalle, se observa que el decreto francés fue firmado por Jacques Chirac y Lionel Jospin el 12 de septiembre, es decir antes de que George W. Bush decretara el luto norteamericano.

Una operación así, a escala planetaria, necesita la activación de una poderosa red de influencia capaz de presionar a casi todos los dirigentes del planeta. Esta operación política persigue sobre todo un objetivo político: manipulando el sentimiento religioso, el Gobierno norteamericano ha sacralizado tanto a las víctimas de los atentados como su versión de los hechos. De ahora en adelante, en todo el mundo, cualquier puesta en duda de la verdad oficial será considerada un sacrilegio.

El dispositivo que se utilizó para imponer el luto internacional se formalizó en secreto en octubre de 2001.[13] En el Pentágono se creó la Oficina para la Influencia Estratégica (Office for the Strategic Influence),[14] bajo el mando del general Simon Pete Worden, ex jefe del US Space Command. Este organismo se articula en los Programas de Información Internacional (International Informations Programs)[15] del Departamento de Estado —que comprende las transmisiones de la radio Voice of America— a través del Grupo Militar de Información Internacional (International

---

[12] La OTAN es la Organización del Tratado del Atlántico Norte; el ANZUS agrupa a Australia, Nueva Zelanda y Estados Unidos; mientras que la OEA reúne a los Estados americanos.

[13] "Le Nouvel arsenal de Washington pour l'infosphère", en *Intelligence Online* del 14 de febrero de 2002.

[14] La creación de la Oficina para la Influencia Estratégica es la conclusión de una larga reflexión de las fuerzas norteamericanas. Cf. "Information Dominance", de Martin C. Libicki, en *Strategic Forum* n° 132 (National Defense University, noviembre de 1997); en http://www.ndu.edu/inss/strforum/forum132.html.

[15] Sitio oficial del International Informations Programs: http://www.state.gov-/r/iip/.

Military Information Group) del coronel Brad Ward. Ahora, este organismo trabaja a tiempo completo para manipular las opiniones públicas y los Gobiernos occidentales.[16]

---

[16] A partir de 1948, el Departamento de Estado dispone de un servicio de propaganda púdicamente denominado "Public Diplomacy". Esta línea presupuestaria se utiliza para corromper a los líderes de opinión (periodistas, intelectuales, dirigentes políticos) en los países amigos. Desplazando esta actividad del Departamento de Estado al Departamento de Defensa, la Administración Bush intentaba extender el campo de actividad de los servicios de propaganda al pueblo estadounidense, violando la Foreign Relations Authorizations Act de 1972.

Capítulo 7

Plenos poderes

En la madrugada del 14 de septiembre el Congreso de Estados Unidos autoriza al presidente George W. Bush a recurrir a "toda la fuerza necesaria y apropiada contra todo Estado, organización o persona que se haya confirmado que ha preparado, autorizado, ejecutado o facilitado los ataques terroristas que se produjeron el 11 de septiembre de 2001, o que ha dado asilo a tales organizaciones o tales personas, con el fin de prevenir cualquier futuro acto de terrorismo internacional contra Estados Unidos, organizaciones o personas".[1]

Esta resolución conjunta de ambas cámaras se adopta casi sin debate, por unanimidad menos un voto, el de la diputada demócrata de California, Barbara Lee.[2] Su redacción concede toda la libertad al presidente Bush para luchar contra las organizaciones terroristas no gubernamentales, pero los "poderes de urgencia" no son exactamente "poderes de guerra". George W. Bush sigue obligado a informar al Congreso antes de desencadenar hostilidades contra otro Estado.[3]

---

[1] Resolución conjunta 23 del Senado.

[2] Rindió cuentas de su voto a sus electores publicando "Why I Opposed the Resolution to Authorize Force" en *San Francisco Chronicle* del 23 de septiembre de 2001.

[3] "National Emergency Powers" por Harold C. Relyea, Congressional Re-

Para llevar a cabo las primeras acciones, el presidente Bush solicita al Congreso un crédito especial de 20.000 millones de dólares. En un hermoso impulso patriótico, ambas cámaras duplican la cantidad y votan al cabo de cinco horas de debate un crédito de... 40.000 millones de dólares.[4]

Por otra parte, el presidente Bush autoriza la movilización de 50.000 reservistas como máximo.[5] El secretario de Defensa, Donald Rumsfeld, llama de inmediato a 35.500 reservistas (10.000 para el Ejército, 13.000 para la Fuerza Aérea, 3.000 para la Marina, 7.500 para los *Marines* y 2.000 para los Guardacostas). La movilización anterior es la de la Guerra del Golfo. Esta implicó a un número de soldados cinco veces superior, porque se trataba de reunir a una poderosa fuerza.

George W. Bush pronuncia un importante discurso[6] ante el Congreso, reunido en sesión plenaria, el 20 de septiembre. Está acompañado por varias personalidades, entre las que se encuentra el Primer Ministro británico, Tony Blair. En esta ocasión, señala por fin de forma oficial a Osama Bin Laden y a su organización como los responsables de los atentados y lanza un ultimátum al régimen talibán: "Entregad a las autoridades norteamericanas a todos los dirigentes de Al Qaeda que se esconden en vuestro territorio. Libe-

search Service, The Library of Congress, 18 de septiembre de 2001. Se puede consultar en: http://www.fpc.gov/CRS_REPS/powers.pdf.

[4] "Congress Clears Use of Force, $40 Billions in Emergency Aid", por John Lancaster y Helen Dewar, en *The Washington Post* del 15 de septiembre de 2001 y "Congress Passes $40 Billion in Homeland Defense Funds", por Steven Kingsley, en *Homeland Defense Journal* del 7 de enero de 2002.

[5] Executive Order, 14 de septiembre de 2001 (http://www.whitehouse.gov/news/releases/2001/09/20010914-5.html).

[6] Address to a Joint Session of Congress and the American People, 20 de septiembre de 2001 (http://www.whitehouse.gov/news/releases/2001/09/20010920-8.html).

rad a todos los ciudadanos extranjeros, incluidos los ciudadanos norteamericanos, a los que habéis encarcelado injustamente y proteged a los periodistas, los diplomáticos y los trabajadores extranjeros en vuestro país. Cerrad de inmediato y de forma permanente todos los campos de entrenamiento terrorista en Afganistán y entregad a las autoridades competentes a los terroristas y a todas las personas que forman parte de la estructura de apoyo. Estas exigencias no están sujetas a negociación o discusión. Los talibanes deben actuar, y hacerlo de inmediato. Tienen que entregar a los terroristas, o compartirán su suerte".

Sobre todo, anuncia la creación de una OHS (Office of Homeland Security/Oficina de Seguridad Interior) con rango ministerial y bajo su mando directo. Este nuevo organismo "dirigirá, supervisará y coordinará una estrategia nacional conjunta con vistas a defender nuestro país frente al terrorismo y reaccionar ante cualquier eventual ataque". El Presidente anuncia sobre la marcha que nombra al ex *marine* y gobernador de Pensilvania, Tom Ridge, al frente de esta Oficina.

Como continuación de estas medidas, la Administración Bush adopta varias decisiones para reforzar el secreto de Defensa.

Desde el día siguiente a los atentados, el 12 de septiembre, el secretario Rumsfeld declaró en su conferencia de prensa en el Pentágono: "Me parece importante subrayar que cuando los datos procedentes de la información se ponen a disposición de personas que no tienen la idoneidad para procesarlos correctamente, la consecuencia es que se reducen las posibilidades que el Gobierno de Estados Unidos tiene de identificar y juzgar a las personas que han perpetrado los ataques contra Estados Unidos y que han matado a tantos norteamericanos. En segundo lugar, cuando se suministra información reservada sobre las operaciones a personas que no han recibido la habilitación para este tipo de información, la consecuencia obligada es que se pone en peligro la vida de hombres y mujeres de uniforme, ya que estos son los que llevarán a cabo esas futuras operaciones".[7]

Cuando los periodistas le preguntaron, el 25 de septiembre, si tenía la intención de mentir para guardar secretos, Rumsfeld respondió que, personalmente, era lo bastante hábil para actuar de otro modo, pero que sus colaboradores se las arreglaran como pudieran:[8]

Secretario de Defensa: "Evidentemente, eso recuerda la famosa expresión de Winston Churchill que declaró —pero no me cite, ¿eh? No quiero ser citado, por tanto no me cite— que la verdad, a veces, es tan valiosa que debe ir acompañada por un guardaespaldas de mentiras —hablaba de la fecha y del lugar del desembarco—.

"Y de hecho, se esforzaron no sólo por no hablar de la fecha del desembarco en Normandía, ni del lugar, ni de saber si sería en la bahía de Normandía o al norte de Bélgica, y se pusieron a sembrar la confusión entre los alemanes respecto a saber si eso se produciría. Y tenían a un ejército ficticio al mando de Patton y cosas por el estilo. Eso pertenece a la historia y hablo de ello como de un contexto (…) No recuerdo haberle mentido nunca a la prensa, no tengo la intención de hacerlo, y no me parece que fuera justificable. Existen decenas de maneras de evitar estar en situaciones en las que se tenga que mentir. Y yo no lo hago."

Periodista: "¿Y eso es válido para todo el mundo en el Departamento?"

Secretario de Defensa: "Bromea, supongo" (risas).

[7] "DoD News Briefing, Secretary Rumsfeld", 12 de septiembre de 2001, en http://www.defenselink.mil/news/Sep2001/t09122001_t0912sd.html.

[8] "DoD News Briefing, Secretary Rumsfeld", 25 de septiembre de 2001, en http://www.defenselink.mil/news/Sep2001/t09252001_t0925sd.html.

El 2 de octubre el subsecretario de Defensa, Pete Aldridge Jr., dirige un mensaje a todos los proveedores de armas.[9] Les indica que el secreto de Defensa se amplía a sus actividades comerciales, teniendo en cuenta que datos aparentemente anodinos pueden revelar muchas cosas sobre las actividades e intenciones del Departamento de Defensa. Así pues, a partir de entonces se impone la discreción a los civiles.

El 4 de octubre, la directora de compras de la Fuerza Aérea, Darlene Druyun, envía un correo electrónico[10] a todos los proveedores de esa fuerza para ampliar la carta de Aldridge. Prohíbe a todos los proveedores hablar con los periodistas, así como hablar de los contratos en curso de negociación y de los ya firmados y públicos. La prohibición es válida tanto en Estados Unidos como en todos los países extranjeros donde los proveedores pueden participar en ferias y coloquios sobre armamento.

El 5 de octubre el presidente Bush, violando la Constitución, ordena a varios miembros de su gabinete que dejen de transmitir información a los parlamentarios (cf. Anexos).

El 18 de octubre, el secretario adjunto de Defensa, Paul Wolfowitz, envía una nota a todos los jefes de oficina de su ministerio para que se difunda a todo el personal. Escribe: "Es vital que los agentes del Departamento de Defensa (DOD), así como las personas que proceden de otras organizaciones que colaboren con el DOD, sean muy prudentes en sus conversaciones sobre las actividades del DOD cualquiera que sean sus responsabilidades. Que no mantengan ninguna conversación relativa a sus actividades profesionales en espacios abiertos, en lugares públicos, durante sus desplazamientos entre su domicilio y el trabajo, o incluso por medios

---

9 Disponible en http://www.fas.org/sgp/news/2001/10/aldridge.html.
10 Disponible en http://www.fas.org/sgp/news/2001/10/druyun.html.

electrónicos no seguros. La información de carácter confidencial será tratada exclusivamente en los lugares previstos al efecto y con personas que dispongan a la vez de una razón específica para acceder a la información y de una habilitación de seguridad *ad hoc*.

"La información no confidencial debe ser objeto de una protección idéntica desde el momento en que pueda ser confirmada para conducir a conclusiones de carácter sensible. La mayor parte de la información utilizada en el marco de las misiones del DOD será sustraída *(sic)* del dominio público en razón de su carácter sensible. En caso de duda, absténgase de difundir o discutir la información oficial, salvo en el seno del DOD."

Simultáneamente, las autoridades federales toman medidas para garantizar el secreto de la investigación sobre los atentados. El 11 de septiembre, el FBI solicita a las compañías aéreas que no se pongan en contacto con la prensa. No obstante, su testimonio permitiría aclarar la ausencia de pasajeros de los aviones, así como la ausencia de los nombres de los piratas aéreos en las listas de pasajeros. Esa misma noche, el FBI espera en su domicilio a los hermanos Jules y Gédéon Naudet, que estaban en Manhattan durante las colisiones. Confisca las cinco horas de grabación de video realizadas por los dos periodistas en el interior de las torres y en las plazas. Sólo les son devueltos seis minutos de grabación, correspondientes a la colisión del primer avión. Este documento, que podría ayudar a comprender el desmoronamiento del World Trade Center, está precintado. El FBI solicita asimismo a la empresa Odigo que no se ponga en contacto con la prensa. Sin embargo, sería interesante conocer el contenido exacto del mensaje de alerta recibido y las medidas tomadas para limitar el número de personas en las Torres. Igualmente, la autoridad militar prohíbe todo contacto entre su personal implicado y la prensa. Los periodistas no pueden por lo tanto ni preguntar a los pilotos de caza, ni al personal de base de Barksdale y Offutt. En cuanto a la asociación de abogados norteamericanos, consciente de que los procesos por daños y perjuicios constituirán nuevas oportunidades para que se hagan públicos secretos de Estado, anuncia que excluirá de la abogacía a todo jurista que intente iniciar un proceso en nombre de las familias de las víctimas. Esta prohibición se anuncia sólo por seis meses: a partir de ese momento los peritajes ya no serán posibles.

El presidente George W. Bush se pone personalmente en contacto con los líderes del Congreso para solicitarles que no pongan en peligro la seguridad nacional creando una comisión de investigación sobre los acontecimientos del 11 de septiembre. Para protegerse, así como para dar vuelta la página, los parlamentarios deciden crear una comisión de investigación conjunta de las dos cámaras... sobre las medidas tomadas después del 11 de septiembre para prevenir otras acciones terroristas.[11]

El 10 de octubre, la consejera nacional de seguridad, Condoleezza Rice, convoca a la Casa Blanca a los directores de las grandes cadenas de televisión (ABC, CBS, CNN, Fox, Fox News, MSNBC y NBC) para apelar a su sentido de la responsabilidad. Aunque la libertad de expresión sigue siendo la norma, se invita a los periodistas a ejercer por sí mismos un "juicio editorial" sobre la información y abstenerse de difundir cualquier dato que pudiera perjudicar la seguridad del pueblo norteamericano.[12]

Toda la prensa escrita recibe el mensaje. Inmediatamente, Ron Gutting (redactor jefe del *City Sun*) y Dan Guthrie

---

11 "Congressionnal Panels Join to Probe US Intelligence" por Walter Pincus, en *The Washington Post* del 12 de febrero de 2001.
12 "La 'guerre de l'ombre': les médias américains entre info et propagande", artículo de la agencia France Presse del 11 de octubre de 2001.

(redactor jefe del *Daily Courier*), que se habían atrevido a criticar la línea de Bush, son despedidos.

"El *Pravda* y el *Izvestia* de la ex Unión Soviética habrían tenido dificultades para superar a los medios de comunicación norteamericanos en su servidumbre a la agenda oficial (...) Han abandonado la noción de objetividad o incluso la idea de proponer un espacio público donde los problemas sean discutidos y debatidos. (...) Es un escándalo que pone en evidencia la existencia de un sistema de propaganda, que no es el de los medios de comunicación serios, esenciales en una sociedad democrática", comenta Edward Herman, profesor de Ciencias Políticas en la Universidad de Pensilvania.[13]

Por último, tras tres semanas de debates, el Congreso adopta la Uniting and Strengthening America by Providing Appropriate Tools Required to Intercept and Obstruct Terrorism Act[14] (cuyo acrónimo es US PATRIOT Act). Esta ley de excepción suspende varias libertades fundamentales durante un período de cuatro años con el objeto de proporcionar a la Administración los medios para luchar con eficacia contra el terrorismo. No se le escapa a nadie que la duración de cuatro años cubre la totalidad del mandato de George W. Bush, incluido el período electoral para su reelección. Reprime a los "terroristas y a los que los apoyan", según una definición muy amplia.

De ese modo, la colecta de fondos para apoyar a las familias de los militantes del IRA encarcelados en el Reino Unido se convierte en un crimen federal. La duración de la prisión preventiva de los extranjeros sospechosos de terro-

---

[13] Citado por Olivier Pascal-Moussellard, "Les Journalistes à l'épreuve du 11 septembre", en *Télérama* del 30 de enero de 2002.

[14] Ley para la unidad y la fuerza de Norteamérica por la atribución de medios apropiados para interceptar e impedir el terrorismo.

rismo se amplía a una semana. Por otra parte (cualquiera que sea el motivo, incluso sin estar vinculados a la sospecha de terrorismo), se puede incomunicar a los sospechosos durante un período de seis meses, renovable sin límites si el fiscal general estima que su puesta en libertad "puede amenazar la seguridad nacional o la de la sociedad o la de una persona". De inmediato, se detiene a 1.200 inmigrantes por un período indeterminado con cargos de inculpación secretos. Los agentes consulares extranjeros denuncian la violación de los derechos fundamentales de sus ciudadanos a instancias del cónsul general de Pakistán en Nueva York, que declara: "En la mayoría de los casos no tenemos ni la identidad, ni el lugar de la detención de nuestros ciudadanos. Se dignan como mucho a darnos su nombre (…) Las autoridades también los presionan para que no hagan uso de sus derechos de ponerse en contacto con sus representaciones consulares o abogados. Es absolutamente inadmisible".

Por último, la US PATRIOT Act permite al FBI interceptar las comunicaciones sin la orden de un magistrado.[15] Esta medida es aplicable a las comunicaciones intercambiadas por ciudadanos extranjeros entre países extranjeros, pero que transitan por el territorio norteamericano a través de Internet.

El 31 de octubre el Departamento de Justicia suspende el derecho de las personas en situación de prisión preventiva o detenidas a conversar a solas con su abogado.[16] A partir de ese momento, estos encuentros pueden ser espiados y graba-

---

[15] Esta disposición muy controvertida tenía el acuerdo del Partido Demócrata. Cf. El artículo de John Podesta (ex secretario general de la Casa Blanca durante la Administración Clinton) "Tools for Counterterrorism", en *The Washington Post* del 18 de septiembre de 2001.

[16] Attorney General Aschcroft Outlines Foreign Terrorist Tracking Task Force, Departamento de Justicia, 31 de octubre de 2001; se puede consultar en http://www.usdoj.gov/ag/speeches/2001/agcrisisremarks10_31.html.

dos, y sus declaraciones utilizadas en contra de los sospecho-sos, lo que elimina toda posibilidad para el cliente y el abo-gado de elaborar conjuntamente una estrategia de defensa.

El 13 de noviembre, el presidente Bush decreta que los extranjeros "sospechosos de terrorismo" –lo que incluye "a los miembros y ex miembros de Al Qaeda" y a las personas que los hayan ayudado (incluso sin saberlo) a conspirar en vistas a cometer atentados (incluso no realizados)– no serán juzgados por tribunales federales, ni siquiera por tribunales militares, sino por comisiones militares.[17] Estas comisiones serán compuestas discrecionalmente por el secretario de De-fensa y ellas mismas establecerán su código de procedimien-to. Sus sesiones podrán mantenerse a puerta cerrada. Los "procuradores militares" no tendrán que comunicar a los de-tenidos y sus defensores las "pruebas" de las que dispongan. Tomarán sus decisiones por mayoría de los dos tercios (y no por unanimidad, como exige la norma internacional en ma-teria criminal).

Ese mismo día, el Departamento de Justicia detiene a 5.000 sospechosos originarios del Cercano Oriente, casi to-dos en situación regular y que no habían cometido ninguna infracción, para "interrogarlos".

Apoyándose en el Comité Antiterrorista[18] creado en vir-tud de la resolución 1373[19] (28 de septiembre) de Naciones Unidas, el Departamento de Estado ordena a sus aliados a tra-vés de la ONU que se adopten legislaciones similares. Hoy en día, 55 países (Francia incluida, a través de la "ley sobre la se-

17 President's Military Order: Detention, Treatment, and Trial of Certain Non-Citizens in War Against Terrorism, 13 de noviembre 2001; se puede consultar en http://www.whitehouse.gov/news/releases/2001/11/20011113-27.html.
18 Sitio oficial del Comité Antiterrorista del Consejo de Seguridad de Naciones Unidas: http://www.un.org/french/docs/sc/committees/1373/.
19 Resolución 1373 del Consejo de Seguridad, Naciones Unidas, de 28 de sep-tiembre de 2001, en http://www.un.org/spanish/docs/sc01/sres1373f.pdf.

guridad cotidiana") han trasladado al derecho interno algunas disposiciones de la US PATRIOT Act. Su objetivo no es proteger a las poblaciones locales del terrorismo, sino permitir a los servicios de policía estadounidenses ampliar sus actividades en el resto del mundo. Se trata esencialmente de prolongar los plazos de prisión preventiva en temas de terrorismo, limitar la libertad de la prensa y autorizar las intercepciones de comunicaciones por parte de las fuerzas de seguridad sin control judicial. En el Reino Unido la ley antiterrorista autoriza la detención de sospechosos extranjeros sin ninguna instrucción, violando la Convención Europea de Derechos Humanos. En Canadá la ley antiterrorista obliga a los periodistas a entregar sus fuentes por requerimiento judicial, so pena de encarcelación inmediata. En Alemania los servicios de información se atribuyen poderes de policía judicial para transformarse en policía política. En Italia los servicios secretos están autorizados a cometer todo tipo de delitos en el territorio nacional en favor de la defensa nacional y no tienen que rendir cuentas a la justicia, etcétera.[20] En definitiva, el secretario de Estado, Colin Powell, va a Europa para asegurarse de que en adelante las policías nacionales podrán transmitir sin formalidades la información que poseen al FBI y para instalar una antena del FBI en los locales de la Europol.

✳ ✳ ✳

"Desde el 11 de septiembre el Gobierno ha hecho votar leyes, adoptar políticas y procedimientos que no están de acuerdo con nuestras leyes y valores establecidos y que ha-

[20] "El Top 15 de los Estados más liberticidas" por el colectivo Libertés immuables (Fédération internationale des ligues des Droits de l'homme, Human Rights Watch, Reporters sans frontières). Se puede consultar en http://www.enduring-freedoms.org/pdf/RAPPORTL.pdf.

brían sido impensables antes", escribe la prestigiosa *The New York Review of Books*.[21] Exaltando su mística patriótica, el país de la libre expresión y de la transparencia política se ha replegado sobre una concepción extensiva de la razón de Estado y del secreto de Defensa aplicable a todos los sectores de la sociedad.

La versión oficial de los acontecimientos del 11 de septiembre no permite justificar semejante hito. Aunque los enemigos sean unos miserables escondidos en las cuevas de Afganistán, ¿por qué temer las conversaciones entre colegas en el recinto del Pentágono? ¿Cómo imaginar que un puñado de terroristas pueda recoger y procesar información dispersa sobre la compra de armamento y deducir los planes del ejército de Estados Unidos? ¿Por qué suspender el funcionamiento normal de las instituciones y privar a los parlamentarios, incluso a puerta cerrada, de la información indispensable para la vida democrática?

Y si la versión oficial, la que dice que los atentados fueron perpetrados por terroristas extranjeros, es cierta, ¿por qué impedir toda investigación del Congreso y toda investigación de la prensa?

¿No se trata más bien de un cambio de régimen político programado bastante antes del 11 de septiembre? En varias ocasiones desde hace medio siglo, la CIA intentó que se adoptara una ley que prohibiera a la prensa tocar los asuntos de Estado y criminalizar a los funcionarios y periodistas que los revelaran. En noviembre de 2000, el muy reaccionario senador Richard Shelby, que presidía entonces la Comisión Senatorial de la Información, hizo que se votara una Ley sobre el Secreto (Oficial Secrecy Act) a la que el presidente

---

21 "The Treat to Patriotism" por Ronald Dworkin, en *The New York Review of Books* del 28 de febrero de 2002.

Bill Clinton opuso su veto. Richard Shelby reiteró la maniobra en agosto de 2001, en espera de una mejor acogida por parte del presidente Bush.[22] Se discutía la propuesta de ley cuando se produjeron los atentados, y se incorporó parcialmente a la Ley sobre la Información (Intelligence Act) del 13 de diciembre de 2001. Seguidamente el fiscal general John Ashcroft creó una unidad especial encargada de evaluar los medios para poner remedio a la fuga de información clasificada.[23] Esta emitirá un informe al cabo de seis meses. A partir de ese momento se limpiaron muchos sitios oficiales en Internet: se ha retirado mucha información pública con la excusa de que su consulta podría ayudar a los "terroristas" a deducir información secreta.

Después de neutralizar a la justicia, las comisiones de investigación del Congreso y la prensa, es decir, a todos los contrapoderes, el Ejecutivo se ha dotado de nuevas estructuras que le permitirán ampliar a la política interior los métodos ya probados por la CIA y las Fuerzas Armadas en el exterior.

La creación de la OHS (Oficina de Seguridad Interior), anunciada por el presidente Bush en el Congreso el 20 de septiembre, no se produjo hasta el 8 de octubre. No se trata de una medida circunstancial, sino de una profunda reforma del aparato de Estado norteamericano. De ahora en adelante, la Administración distinguirá seguridad interior y exterior. El director de la OHS (Tom Ridge) será el igual de

---

[22] "Reviving a Misconceived Secrecy Bill", editorial de *The New York Times* del 21 de agosto de 2001; "No More Secrecy Bills", editorial *The Washington Post* del 24 de agosto de 2001; "Classified Silencing", editorial del *St Petersburg Times* del 24 de agosto de 2001; "No Official Secret Act", editorial de *The Hill* del 5 de septiembre de 2001, etcétera.

[23] "Task Force to review ways to combat leaks of classified information". Cf. "Washington jaloux de ses sources ouvertes", en *Intelligence Online* del 3 de enero de 2002.

la consejera nacional de seguridad (Condoleezza Rice). Cada uno presidirá un consejo: el Council of Homeland Security (Consejo de Seguridad Interior) y el National Security Council (Consejo Nacional de Seguridad) respectivamente. Se pueden comprobar sus distintas competencias en muchos campos. El presidente Bush también ha nombrado a un consejero nacional de seguridad adjunto encargado de la lucha antiterrorista que, aunque depende de Condoleezza Rice, deberá estar a disposición de Tom Ridge. Este puesto bisagra fue confiado al general Wayne A. Downing, poseedor de un perfil particularmente fuerte.[24] Downing fue, entre otros, el jefe de las operaciones especiales de la red *stay-behind*.[25] Garantizará la relación entre los Consejos y la Oficina para la Influencia Estratégica, encargada de manipular a la opinión pública y los gobiernos extranjeros.

La Oficina de Seguridad Interior posee amplios poderes de coordinación que podrán evolucionar con el tiempo. Es difícil decir si tendrá un papel comparable al de la Oficina de Movilización de Guerra (OWM) durante la Segunda Guerra Mundial, o al de la actual Oficina de Política Nacional de Control de la Droga (ONDCP), que supervisa las operaciones militares en Latinoamérica.[26] En cualquier caso, se asiste a

[24] "Bush Names Army General to NSC Post on Terrorism", por Mike Allen y Thomas Ricks, en *The Washington Post* del 30 de septiembre de 2001, y "Two Key Advisers Are Filling New Posts to Fight New War" por Mike Allen y Eric Pianin, en *The Washington Post* del 10 de octubre de 2001.

[25] El *stay behind* es el servicio más secreto de los servicios secretos. Fue constituido durante la Liberación, e intentaba "alinear" a los agentes nazis para luchar contra la creciente influencia de los comunistas. Infiltrado en el más alto nivel en los gobiernos occidentales, fue utilizado para truncar los procesos democráticos. La rama italiana del *stay behind* es conocida por la gente con el nombre de Gladio.

[26] "Homeland Security: the Presidential Coordination Office", por Harold Relyea, Congressional Research Service, The Library of Congress, 10 de octubre de 2001; se puede consultar en: http://www.fpc.gov/CRS_REPS/crs_hsec.pdf.

una usurpación de la vida civil por parte de los militares y las agencias de información.[27]

"Los historiadores recordarán que entre noviembre de 2001 y febrero de 2002, la democracia —tal como había sido imaginada por los redactores de la Declaración de Independencia y la Constitución de Estados Unidos— ha muerto. Al expirar la democracia ha nacido el Estado fascista y teocrático norteamericano", comentan dos grandes periodistas, John Stanton y Wayne Madsen.[28]

[27] "Pentagon Debates Homeland Defense Role" por Bradley Graham y Bill Miller, en *The Washington Post* del 11 de febrero de 2001.

[28] "The Emergence of the Fascist American Theocratic State", por John Stanton y Wayne Madsen, 10 de febrero de 2002.

Tercera parte

El imperio ataca

Capítulo 8

¡La culpa es de Bin Laden!

La mañana del 11 de septiembre, cuando la CNN difundió las primeras imágenes de una de las torres del WorldTrade Center en llamas y cuando no se sabía todavía si se trataba de un accidente o de un atentado, los comentaristas de esa cadena televisiva de información evocaron la posible responsabilidad de Osama Bin Laden. Progresivamente, esta hipótesis se impuso como la única explicación humanamente aceptable. Atentados de tal barbarie sólo podían ser obra de un monstruo, radicalmente ajeno al mundo civilizado, lleno de un odio irracional contra Occidente y cuyas manos ya estuvieran cubiertas de sangre. Este demente ya había sido identificado: era el enemigo público número 1 de Estados Unidos: Osama Bin Laden.

El rumor se alimentó primero con revelaciones a la prensa de "fuentes en general bien informadas" o "próximas a la investigación". Se hizo oficial cuando Colin Powell calificó públicamente a Bin Laden de "sospechoso". Y se convirtió en dogma cuando George W. Bush lo señaló como el culpable. Hasta hoy, esta acusación no ha sido sostenida públicamente. Pero las autoridades norteamericanas se consideran dispensadas de ello con la publicación de un video de Osama Bin Laden que, a sus ojos, tiene valor de confesión.

Osama Bin Laden[1] es uno de los 54 hijos del jeque Mohamed Bin Laden, fundador, en 1931, del Saudi Binladen Group (SGB). Este *holding,* el más importante de Arabia Saudí, obtiene la mitad de su volumen de negocios de la construcción y de las obras públicas, y la otra mitad de la ingeniería, el sector inmobiliario, la distribución, las telecomunicaciones y la edición. Creó una sociedad suiza de inversiones, la SICO (Saudi Investment Company), que a su vez creó varias sociedades con filiales del National Comercial Bank saudí. El SGB posee importantes acciones en General Electric, Nortel Networks y Cadbury Schweppes. En sus actividades industriales en Estados Unidos está representado por Adnan Khashoggi (ex cuñado de Mohamed Al Fayed), mientras que el Carlyle Group gestiona sus haberes financieros. Hasta 1996, su consejero, el banquero nazi François Genoud, ejecutor testamentario del Dr. Goebbels y mecenas del terrorista Carlos, preparaba en Lausana la creación de filiales del SGB. El SGB es indisociable del régimen wahhabita, hasta el punto de haber sido durante mucho tiempo el contratista oficial y único para la construcción y la gestión de los lugares santos del reino, Medina y La Meca. Asimismo, ganó la mayoría de las licitaciones de construcción y obras públicas para la edificación de las bases militares de Estados Unidos en Arabia Saudí y la reconstrucción de Kuwait después

---

[1] Muchas obras relatan la biografía de Osama Bin Laden. La mayoría son fruto más bien de la propaganda o del sensacionalismo que de la investigación rigurosa. Las obras más vendidas, como *Bin Laden, the Man who Declared War on America* de Yossef Bodansky (Prima Publishing, 1996) [Bodansky es por otra parte consultor del Congreso] o *Au nom d'Oussama Ben Laden* de Roland Jacquard (Jean Picollec, 2001) se basan en informes no publicados de los servicios de información, por lo tanto en informaciones que no se pueden comprobar. Las investigaciones realizadas por la revista *Frontline de PBS,* especialmente "Hunting Bin Laden" (2001) e "Inside the Terror Network" (2002) son mucho más rigurosas. Las transcripciones íntegras de estas últimas se pueden consultar en: http://www.pbs.org/wgbh/pages/frontline/shows.

de la Guerra del Golfo. Tras la muerte accidental del jeque Mohamed Bin Laden en 1968, su hijo mayor, Salem, lo sucedió. Este también murió en un "accidente" de avión ocurrido en Texas en 1988. Desde ese momento, el SBG estuvo dirigido por Bakr, el segundo hijo del fundador.

Osama, nacido en 1957, se diplomó en gestión de empresas y economía en la King Abdul Aziz University. Es considerado un astuto hombre de negocios. En diciembre de 1979 fue requerido por su tutor, el príncipe Turki Al Fayçal Al Saud (director de los servicios secretos saudíes desde 1977 hasta agosto de 2001), para gestionar financieramente las operaciones secretas de la CIA en Afganistán. En diez años, la CIA invirtió 2.000 millones de dólares en Afganistán para lograr el fracaso de la Unión Soviética, haciendo de esas operaciones las más costosas jamás llevadas a cabo por la primera. Los servicios saudíes y estadounidenses reclutaron a fundamentalistas islámicos, los formaron, los armaron y los aleccionaron en una *Jihad* (guerra santa) para combatir y vencer a los soviéticos en su lugar.[2] Osama Bin Laden gestionaba las necesidades de ese mundo heteróclito en un fichero informático llamado "Al Qaeda" (literalmente "base de datos").

Tras la derrota de la Unión Soviética, Estados Unidos se desinteresó completamente de la suerte de Afganistán, país al que dejó en manos de los señores de la guerra y de los *mujaidines* a los que había reclutado en todo el mundo árabe y musulmán para luchar contra el Ejército Rojo. Al parecer, Osama Bin Laden dejó entonces de trabajar para la CIA y recuperó a sus combatientes por su cuenta y riesgo. En 1990 propuso a la monarquía saudí poner a sus hombres

---

2 Cf. Richard Labérivière: *Les Dollars de la terreur, les États-Unis et les islamistes*, Grasset, 1999; y Gilles Kepel: *Jihad, expansion et déclin de l'islamisme*, Gallimard, 2000.

a su servicio para expulsar al apóstata laico Saddam Hussein fuera de Kuwait, y no le gustó que se prefiriera a la coalición conducida por Bush padre (presidente), Dick Cheney (entonces secretario de Defensa) y Colin Powell (entonces jefe de Estado Mayor Conjunto).

Los fundamentalistas islámicos se escindieron pronto en dos bandos, dependiendo de si eran aliados o adversarios de los norteamericanos-saudíes. Osama Bin Laden se ubicó en el grupo conducido por el líder sudanés Hasan Al Turabi, donde también estaba Yasser Arafat. Juntos participaron en las conferencias populares árabes e islámicas en Jartún.

En 1992 Estados Unidos desembarcó en Somalia, bajo bandera de la ONU para "Restaurar la Esperanza" (Restore Hope). Algunos antiguos combatientes de Afganistán lucharon contra los GI. Participaron en una operación en la que 18 soldados norteamericanos encontraron la muerte. Osama Bin Laden fue señalado como el responsable de las escaramuzas. El ejército de Estados Unidos puso pies en polvorosa. En el imaginario colectivo, Bin Laden acababa de vencer a los norteamericanos después de haber vencido a los soviéticos.

Entonces, a Osama Bin Laden se le retiró la nacionalidad saudí y se instaló en Sudán. Tras romper con su familia recibió su parte de la herencia, estimada en 300 millones de dólares.[3] Bin Laden invirtió esta cantidad en la creación de varios bancos, sociedades agroalimentarias y empresas de distribución locales. Primero con el apoyo del coronel Omar Al Hasan Al Bashir, y posteriormente de Al Turabi, desarrolló varias compañías en Sudán, construyó un aeropuerto, carreteras, instaló un oleoducto y controló la mayor parte de

---

[3] Sobre las inversiones financieras de Osama Bin Laden, véase *Ben Laden, La Vérité interdite* de Jean-Charles Brisard y Guillaume Dasquié (Denoël, 2001).

la producción de goma arábiga. A pesar de estas obras, fue expulsado de Sudán en 1996 debido a la presión de Egipto, que lo acusaba de haber fomentado un complot para asesinar al presidente Hosni Mubarak. En ese momento regresó a Afganistán.

En junio de 1996, 19 soldados norteamericanos perecieron en un atentado en la base militar de Jobar (Arabia Saudí). Estados Unidos acusó a Osama Bin Laden de ser su instigador. Como respuesta dirigió la *Jihad* contra Estados Unidos e Israel en su célebre epístola "Expulsad a los politeístas de la península árabe". En ella recupera los mismos argumentos que había utilizado con la CIA en Afganistán: es un deber sagrado de todo musulmán liberar los territorios ocupados del Islam. Lo único que ocurre es que es difícil comparar la sangrienta ocupación soviética de Afganistán con la instalación contractual de las bases militares norteamericanas en Arabia Saudí. Como la exhortación del millonario no alcanza el eco esperado en los medios musulmanes populares, en 1998 Bin Laden crea, junto al líder egipcio Ayman Al Zawahiri, el Frente Islámico Internacional contra los judíos y los cruzados.

El 7 de agosto de 1998 dos atentados asolaron las embajadas norteamericanas de Daar-es-Salam (Tanzania) y Nairobi (Kenia), causando 298 muertos y más de 4.500 heridos. Estados Unidos acusó a Osama Bin Laden de ser su patrocinador. El presidente Bill Clinton hizo que se lanzaran 75 misiles de crucero sobre los campos de Jalalabad y de Jost (Afganistán) y el laboratorio de Al Shifa (Sudán). El FBI inculpó a Bin Laden y valuó su cabeza en cinco millones de dólares. Todos sus haberes financieros fueron congelados.

El 12 de octubre de 2000 un atentado con una lancha explosiva dañó el destructor USS Cole en la ensenada de Adén (Yemen), matando a 17 *marines* e hiriendo a 39 más. Estados Unidos acusó a Osama Bin Laden por el ataque.

El 8 de mayo de 2001 Donald Rumsfeld reveló que el enemigo público nº 1 de Estados Unidos no sólo disponía ya de armas bacteriológicas y químicas, sino que estaba a punto de ensamblar una bomba atómica y lanzar un satélite.

Entrevistado por la revista *Frontline* (PBS),[4] Milton Bearden (ex jefe de la CIA en Sudán en los años ochenta y uno de los principales responsables de las operaciones secretas de la agencia en Afganistán) expresaba su escepticismo: "Simplificar al máximo y establecer un vínculo entre Osama Bin Laden y todos los actos terroristas de la década transcurrida es un insulto a [la inteligencia de] la mayoría de norteamericanos. Y eso no anima ciertamente a nuestros aliados a tomarnos en serio". Milton Bearden, que había recuperado su libertad de palabra cuando se jubiló, en 1994, proseguía: "Existen muchas invenciones sobre todo esto. Toda una mitología sobre Osama Bin Laden que forma parte del espectáculo. No tenemos un enemigo nacional. No tenemos un enemigo nacional desde que el Imperio del Mal [la Unión Soviética] se hundió en 1991. Y creo que eso nos gusta. Nos gusta todo ese terrorismo internacional bastante extraño en un momento en que [el verdadero terrorismo] cambia dramáticamente de carácter".

En cualquier caso, *"the show must go on"*:[5] Estados Unidos acusó a Osama Bin Laden de ser el patrocinador de los atentados del 11 de septiembre de 2001. Ante el escepticismo de los dirigentes mundiales, el general Colin Powell, secretario de Estado, invitado al programa *Meet the Press* (NBC), anunció: "Trabajamos duramente para sintetizar toda la información judicial y todos los datos. Y pienso que, en un futuro próximo, podremos publicar un documento que describa

---

[4] "Hunting Bin Laden", *Frontline* (PBS, 2001); se puede consultar en http://www.pbs.org/wgbh/pages/frontline/shows.
[5] "El espectáculo debe continuar".

claramente las pruebas que tenemos de sus vínculos con este ataque"[6] Este documento, varias veces anunciado, no se publicó jamás.

El 4 de octubre, el Primer Ministro británico, Tony Blair, presentó un informe en la Cámara de los Comunes, titulado Responsabilidad de las atrocidades terroristas cometidas en los Estados Unidos.[7] Como único argumento puede leerse que: "Ninguna otra organización salvo la red Al-Qaeda dirigida por Osama Bin Laden, tiene a la vez los motivos y la capacidad para llevar a cabo ataques del tipo de los del 11 de septiembre".

Ese mismo día, el ministro pakistaní de Asuntos Extranjeros, Riaz Muhammad Khan, declaraba que las "pruebas" norteamericanas transmitidas a su gobierno "proveían una base suficiente para llevar a Bin Laden ante la justicia". Dado que estas "pruebas" están clasificadas como secreto de Defensa, nunca se han hecho públicas.

El 7 de octubre los embajadores estadounidenses y británicos informaban a la ONU sobre la acción militar emprendida por sus países en Afganistán.[8] John Negroponte (Estados Unidos) escribió: "Mi gobierno ha obtenido información clara e indiscutible de que la organización Al Qaeda, sostenida por el régimen talibán de Afganistán, ha tenido un papel central en los ataques". Esta información "clara e indiscutible" jamás se transmitió al Consejo de Seguridad.

---

[6] Carta del embajador Negroponte al presidente del Consejo de Seguridad. Documento ONU S/2001/946. Véase también la carta del embajador Eldon, documento ONU S/2001/947.

[7] "Responsibility for the Terrorist Atrocities in the United States", 11 de septiembre de 2001, por Tony Blair (1ª versión); este documento se puede consultar en http://www.number-10.gov.uk/evidence.html.

[8] Carta del Embajador Negroponte al presidente del Consejo de Seguridad, Documento ONU S/2001/946. Ver asimismo la carta del Embajador Eldon, documento ONU S/2001/947.

El 10 de noviembre *The Sunday Telegraph* reveló la existencia de un video (grabado el 20 de octubre) en el que al parecer Osama Bin Laden reivindicaba los atentados: "Las Torres Gemelas eran blancos legítimos. Constituían un pilar de la potencia económica norteamericana. Estos acontecimientos fueron grandiosos desde cualquier punto de vista. Lo que se ha destruido no han sido sólo las Torres Gemelas, sino las torres de la moral de ese país". Bin Laden habría amenazado también al presidente norteamericano y al Primer Ministro británico: "Bush y Blair no entienden nada más que las relaciones de fuerza. Cada vez que nos matan, los matamos, con el fin de alcanzar un equilibrio de fuerzas". Estas revelaciones fueron confirmadas el mismo día por Tony Blair, que indicó a los Comunes que había tenido conocimiento de una retranscripción. Este misterioso video se cita en la versión actualizada del informe Blair.[9] Se trata, de hecho, de una entrevista realizada por la cadena de noticias 24 horas Al Jazira y difundida por la CNN en enero de 2002.

Sorpresa: el 9 de diciembre, *The Washington Post* reveló en primera página la existencia de una nueva cinta de video.[10] La cinta, grabada por una persona allegada al enemigo n° 1 el 11 de septiembre, muestra las reacciones de Osama Bin Laden ante los acontecimientos y certifica definitivamente su responsabilidad en la planificación. Según Reuters, que cita a un oficial anónimo, el líder de Al Qaeda incluso indica en ella que la mayor parte de los piratas no eran kamikazes e ignoraban que serían sacrificados.

[9] "Responsibility for the Terrorist Atrocities in the United States", 11 de setiembre de 2001, por Tony Blair (2ª versión); se puede consultar en http://www.pm.gov.uk/file.asp?fileid=2590.
[10] "New Tape Points to Bin Laden", por Walter Pincus y Karen DeYoung, en *The Washington Post*, 9 de diciembre de 2001.

Invitado por *This Week* (ABC), el secretario adjunto de Defensa, Paul Wolfowitz, comentó: "Es repugnante. Quiero decir, este hombre se enorgullece y se complace matando a miles de seres humanos inocentes. Eso confirma todo lo que ya sabíamos sobre él. No hay nada nuevo o sorprendente aquí dentro. No es más que su confirmación. Y espero que eso haga callar definitivamente las insanas teorías conspiradoras según las que, en cierto modo, Estados Unidos o algún otro son los culpables".[11]

Este video fue difundido por el Pentágono el 13 de diciembre de 2001. Osama Bin Laden pronuncia "confesiones" coincidentes en todos los puntos con la versión oficial que ya sabemos muy lejana a la realidad.

"Pensaba que el incendio causado por el combustible del avión fundiría la estructura metálica [del World Trade Center] y que sólo se hundiría la parte afectada y las plantas situadas encima. Es todo lo que esperábamos (...) Habíamos terminado el trabajo del día y pusimos la radio (...) Cambiamos de emisora para captar las noticias de Washington. El boletín informativo seguía su curso. El ataque sólo fue mencionado al final. Entonces, el periodista anunció que un avión acababa de chocar contra el World Trade Center (...) Al cabo de un instante anunciaron que otro avión se había estrellado contra el World Trade Center. Los hermanos que oyeron la noticia se volvieron locos de alegría (...) Los hermanos, los que realizaron la operación, lo único que sabían era que tenían que realizar una acción mártir; a cada uno de ellos le habíamos pedido que fuera a Norteamérica, pero no sabían nada de la operación, ni una palabra.

"Estaban entrenados y no les revelamos nada de la operación hasta el momento en que estaban allí y se disponían a

11 *This Week*, ABC, 9 de diciembre de 2001.

embarcar en los aviones (...) Se volvieron locos de alegría cuando el primer avión se estrelló contra el edificio y les dije: 'paciencia' (...) El lapso de tiempo entre el primer y el segundo avión que se estrellaron contra las torres era de veinte minutos y entre el primer avión y el que se estrelló contra el Pentágono era de una hora."[12]

No sólo el agente Bin Laden da credibilidad a la fábula del desmoronamiento de las torres por efecto de la combustión, la de los equipos kamikazes e incluso la del choque en el Pentágono, sino que incluso se esmera en desmentir la evidencia. El video termina en efecto con este comentario de su acólito: "Ellos [los norteamericanos] estaban aterrorizados y pensaban que se trataba de un golpe de Estado". Si lo dice el enemigo público n° 1 de Estados Unidos...

* * *

La culpabilidad del reincidente Osama Bin Laden en los atentados del 11 de septiembre no ofrecería, por consiguiente, ninguna duda, ya que habría confesado incluso acciones que no han existido. Pero ¿rompió verdaderamente Bin Laden con la CIA y se convirtió en enemigo de Norteamérica?

Entre 1987 y 1998 la formación de combatientes de Al Qaeda fue supervisada por Ali Mohamed, oficial egipcio incorporado al ejército de Estados Unidos. Mohamed enseñaba al mismo tiempo en la John Kennedy Especial Warfare Center and School, donde formaba a miembros de la más secreta de las redes de influencia, el *stay behind,* y a los oficiales de las Fuerzas Especiales norteamericanas.[13] Cono-

---

[12] La transcripción íntegra de la cinta de video hecha por el Departamento de Estado se reproduce en los anexos.

[13] "The Masking of a Militant", por Benjamin Weiser y James Risen, en *The New York Times* del 1° de diciembre de 1998.

ciendo las reglas de seguridad de los servicios secretos norteamericanos que prevén una vigilancia constante de los
agentes entre sí, ¿es posible creer que Ali Mohamed podía
trabajar alternativamente en una base militar en Estados
Unidos y en las de Al Qaeda en Sudán y Afganistán sin ser
desenmascarado de inmediato? El mediatizado arresto de Ali
Mohamed, a finales de 1998, no es suficiente para ocultar
que el *stay behind* formaba a los combatientes de Al Qaeda y,
por consiguiente, ¡que Osama Bin Laden siguió trabajando
para la CIA al menos hasta 1998!

Por otra parte, ¿cómo no darse cuenta de que la leyenda de Osama Bin Laden es una cortina de humo fabricada
con todas las piezas por la CIA? ¡Así, se nos ha hecho creer
que Bin Laden habría expulsado de Somalia al mayor ejército del mundo con sólo una veintena de combatientes!

Por otra parte, los atentados de Nairobi y Daar-es-Salam
se presentaron como antinorteamericanos, mientas que ninguno de los once muertos de Daar-es-Salam era estadounidense y en Nairobi sólo doce de los 213 muertos eran norteamericanos. Los que prepararon esos atentados falsamente
antinorteamericanos se esmeraron en que otros cargaran
con las consecuencias.[14]

En realidad, la CIA siguió recurriendo a los servicios de
Osama Bin Laden contra la influencia rusa como hizo contra los soviéticos. Un equipo ganador no se sustituye. La "le-
gión árabe" de Al Qaeda fue utilizada, en 1999, para apoyar
a los rebeldes kosovares contra la dictadura de Belgrado.[15]

---

[14] "Terrorism: US Response to Bombing in Kenya and Tanzania, a New Policy Di-
rection?", por Raphael Perl, Congressional Research Service (The Library of Congress, 1º de septiembre de 1998), en: http://www.house.gov/crstmp/98-733.pdf; y
"Significant Incidents of Political Violence Agaits Americans", Departamento de
Estado (1998), en: http://www.ds-osac.org/publications/documents/sig1998.pdf.

[15] "Osamagate", por Michel Chossudovsky, Center for Research on Globalisa-
tion, 9 de octubre de 2001 (http://www.globalresearch.ca/articles/CHO110A.html)

Fue operativa en Chechenia al menos hasta noviembre de 2001, tal y como lo atestigua *The New York Times*.[16] La pretendida hostilidad de Bin Laden hacia Estados Unidos permitió a Washington negar su responsabilidad en estos retorcidos golpes.

Los vínculos entre la CIA y Bin Laden no se rompieron en 1998. Gravemente enfermo, Bin Laden se estuvo curando entre el 4 y el 14 de julio de 2001 en el hospital norteamericano de Dubai (Emiratos Árabes Unidos). "Durante su hospitalización recibió la visita de varios miembros de su familia, de personalidades saudíes y de los emiratos." Durante esa misma estancia, el representante local de la CIA, al que conocía mucha gente en Dubai, fue visto tomando el ascensor principal para ir a la habitación de Osama Bin Laden", escribe *Le Figaro*.[17]

"La noche precedente a los ataques terroristas del 11 de septiembre, Osama Bin Laden estaba en Pakistán (...), discretamente fue introducido en un hospital militar en Rawalpindi para que le fuera practicada una diálisis", informa el corresponsal de CBS.[18]

El hombre que lanzó la *Jihad* contra Estados Unidos e Israel, el hombre por el que el FBI ofrecía cinco millones de dólares de recompensa, el hombre cuyos campos de entrenamiento habían sido bombardeados por misiles de crucero, se recuperaba en un hospital norteamericano en Dubai donde disertó con el jefe local de la CIA y luego se le practicó

---

y "Les Soldats de Ben Laden en Bosnie et au Kosovo", por Kosta Christitch, en *Balkans-Infos* de octubre de 2001.

[16] "War on Terror Casts Chechen Conflict in a New Light", por Michael Wines, en *The New York Times* del 9 de diciembre de 2001.

[17] "La CIA a rencontré Ben Laden à Dubaï en juillet", por Alexandra Richard, en *Le Figaro* del 31 de octubre de 2001.

[18] "Hospital Worker: I Saw Osama", por Barry Petersen, CBS, 29 de enero de 2002.

una diálisis bajo protección del ejército pakistaní en Rawalpindi.

Este engaño implica a personas próximas a Bin Laden y combatientes de Al Qaeda. Por ejemplo, según la versión oficial norteamericana, el laboratorio de Al Shifa (Sudán) habría sido utilizado por Bin Laden para fabricar armas químicas de destrucción masiva. Por eso fue bombardeado por la Fuerza Aérea norteamericana en 1998. No obstante, los observadores internacionales, que inspeccionaron las ruinas, pusieron en duda que la fábrica hubiera fabricado algo más que aspirina. Esta fábrica pertenecía conjuntamente a Osama Bin Laden y a Salah Idris. La CIA acusó a este último de complicidad en la fabricación de armas químicas y de financiación de la *Jihad* islámica en Egipto.

Así, la CIA congeló sus haberes financieros, pero levantó discretamente la medida en mayo de 1999. El "terrorista" Salah Idris posee en la actualidad el 75% de IES Digital Systems y el 20% de Protec a través de la empresa *offshore* Global Security Systems. Ahora bien, IES Digital Systems asegura actualmente la videovigilancia de los sitios gubernamentales y militares británicos en Internet, tal y como reveló la baronesa Cox a la Cámara de los Comunes,[19] mientras que Protec garantiza la seguridad de once centrales nucleares británicas.

En cuanto a Mohamed Atta, al que el FBI acusa de ser el agente de Al Qaeda que dirigió los comandos kamikazes del 11 de septiembre y cuya cuenta bancaria habría sido utilizada para financiar la operación, era un agente de los servicios secretos pakistaníes (ISI), que siempre se han considerado

---

[19] "Terror links TV's guard UK", por Antony Barnett y Conal Walsh, en *The Observer* del 14 de octubre de 2001, e "Inquiry Call Over Compagny Guarding UK Nuclear Plant", de los mismos autores, en *The Observer* del 4 de noviembre de 2001.

como sucursales de la CIA.[20] En julio de 2001, el general Ahmed Mamad, director del ISI, transfirió 100.000 dólares a la cuenta bancaria de Mohamed Atta en Estados Unidos, indica *The Times of India*.[21] Las medidas tomadas por Estados Unidos contra Bin Laden ya no son convincentes. Los 75 misiles de crucero[22] lanzados contra los campos de entrenamiento de Al Qaeda y la fábrica de Al Shifa mataron a 21 combatientes islámicos, lo que no parece proporcional ni a los medios empleados ni a los 298 muertos de Nairobi y Daar-es-Salam.

"Desde la época de la Guerra Fría, Washington ha apoyado a sabiendas a Osama Bin Laden, al mismo tiempo que lo colocaba en la lista de personas más buscadas por el FBI. Cuando los *mujaidines* se implicaron en las insurrecciones armadas por cuenta de Estados Unidos en los Balcanes y en la ex Unión Soviética, el FBI tenía como orden llevarlo a Estados Unidos y llevar a cabo una guerra contra el terrorismo. Obviamente, no se trata sólo de acciones contradictorias, sino de una política falaz hacia a los ciudadanos, porque la CIA, desde la guerra Unión Soviética-Afganistán, apoya el terrorismo internacional a través de sus operaciones secretas",[23] escribe el profesor Michel Chosudovsky de la Universidad de Ottawa.

---

[20] "Pakistan's Inter-Service Intelligence (ISI)", por B. Raman, *South Asia Analysis Group*, Paper 287, 1° de agosto de 2001 (http://www.saag.org).

[21] "India Helped FBI trace ISI-Terrorist Link", en *The Times of India* del 9 de octubre.

[22] Los misiles BGM-109 Tomahawks son fabricados por General Dynamics en cooperación con McDonnell Douglas. Son facturados al ejército norteamericano entre 600.000 y un 1.200.000 dólares según los modelos. Sólo el costo de las municiones de esta operación de represalia alcanza por lo tanto entre 45 y 90 millones de dólares.

[23] "Qui est Oussama Ben Laden?" por Michel Chossudovsky, *L'Autre Journal*, octubre de 2001; en http://www.globalresearch.ca/articles/CHO109E.html.

Por una parte, Osama Bin Laden no es un enemigo, sino un agente de Estados Unidos; por otra parte, jamás ha roto con su familia, que es un socio comercial esencial de la familia Bush.[24]

Ya hemos indicado que los haberes financieros del Saudi Binladen Group son administrados por el Carlyle Group.

Este grupo, creado en 1987, administra hoy en día una cartera de 12.000 millones de dólares. Posee participaciones mayoritarias en Seven Up (que realiza el embotellamiento para Cadbury Schweppes), Federal Data Corporation (que equipó, por ejemplo, a la Federal Aviation Administration con su sistema de vigilancia de tráfico aéreo civil) y United Defence Industries Inc. (el principal proveedor de armas norteamericanas, turcas y saudíes). A través de las empresas que controla, el Carlyle Group se sitúa en el puesto número 11 del rango de compañías de armamento norteamericanas.

En 1990 el Carlyle Group fue puesto en tela de juicio por un asunto de malversación de fondos. Supuestamente, un *lobbysta* del Partido Republicano, Wayne Berman, desvió fondos de pensiones norteamericanos para financiar la campaña electoral de los Bush; uno de esos fondos había aceptado transferir un millón de dólares al Carlyle Group para obtener un contrato público en Connecticut.

Este fondo de gestión está presidido por Frank C. Carlucci (ex director adjunto de la CIA, luego secretario de Defensa). Su consejero es James A. Baker III (ex jefe de gabine-

---

[24] Tratamos detalladamente estas relaciones en "Les liens financiers occultes des Bush et des Ben Laden", en *Notes d'informations du Réseau Voltaire,* 16 de octubre de 2001. Investigación publicada en México por *Proceso* del 21 de octubre de 2001 con el título "Lazos financieros unen a las familias Bush y Bin Laden" (http://www.proceso.commx/1303/1303n19.html).

te del presidente Reagan, más tarde secretario del Tesoro, por último secretario de Estado con George Bush padre) y Richard Darman (ex director de Presupuesto). Para su representación en el extranjero, el Carlyle Group recurre a John Major[25] (ex Primer Ministro británico) y George Bush padre[26] (ex director de la CIA, luego presidente de Estados Unidos). Entre otros dirigentes del Carlyle Group se encuentran Sami Mubarak Brama, el apoderado de Khaled Ben Mahfouz, y un tal Talat Othmann. Dos personajes directamente relacionados con el actual presidente de Estados Unidos.

En efecto, George W. Bush ha acumulado su fortuna personal gracias a los buenos negocios que realizó cuando encabezaba la Harken Energy Corporation.[27] Esta pequeña empresa petrolera tejana se llevó las concesiones petroleras de Bahrein, como retrocomisión de los contratos norteamericano-kuwaitíes negociados por el presidente George Bush padre.[28] Operación, claro está, totalmente ilegal.

Khaled Ben Mahfouz poseía aproximadamente un 11,5% de las acciones de Harken. Sus acciones eran "tratadas" por uno de sus apoderados, Abdullah Taha Bakhsh. Talat Othman era el administrador. Mientras que el hermano mayor de Osama Bin Laden, Salem, estaba representado en el consejo de administración de Harken por su apoderado norteamericano, James R. Bath.

---

[25] "John Major Link to Bin Laden Dynasty", en *Sunday Herald* del 7 de octubre de 2001.

[26] "Bush of Arabia", en *The Nation* del 27 de marzo de 2000, y "Elder Bush in Big GOP Cast Toiling for Top Equity Firm", en *The New York Times* del 5 de marzo de 2001.

[27] Harken Energy Corporation se llamaba inicialmente Arbusto.

[28] "Fuel for Fantasy", en *Forbes* del 3 de septiembre de 1990; y "Ex-Bush Aide Turns to Stumping for Kuwait... While Jr. Reaps Oil Windfall", en *The Guardian* del 12 de diciembre de 1990.

No son las primeras maniobras de todo este pequeño círculo (la familia Bush, los beneficiarios de sus favores políticos, sus socios financieros y la inevitable CIA). También estuvieron en el centro del gigantesco escándalo bancario de los años noventa: la quiebra del BCCI.[29]

El Bank of Credit and Comerce International (BCCI) era un establecimiento anglo-pakistaní con presencia en 73 países, y propiedad conjunta de tres grandes familias: los Goka (Pakistán), los Ben Mahfouz (Arabia Saudí) y los Gaith Pharaon[30] (Abu Dhabi).

El BCCI fue utilizado por Ronald Reagan para corromper al Gobierno iraní para que retrase la liberación de los rehenes norteamericanos de la embajada de Teherán y sabotear así el final de la presidencia de Jimmy Carter (operación llamada "October Surprise"). Luego, bajo el impulso del ex director de la CIA y vicepresidente George Bush (padre), la Administración Reagan siguió utilizando al BCCI pa-

---

[29] El escándalo del BCCI fue objeto de abundantes artículos. Nos referimos especialmente a *The BCCI Affair, report by Sen. Joseph Kerry (D-Mass.) and Sen. Hank Brown (R-Colo.) to the Senate Committee on Foreign Relations, Subcommittee on Terrorism, Narcotics and International Operations*, 30 de septiembre de 1992. Texto íntegro en http://www.fas.org/irp/congress/1992_rpt/bcci. Véase también *Evil Money, Encounters along the Money Trial* de Rachel Ehrenfeld (Harper Business, 1992), *False Profits, The Inside Story of BCCI, The World's Most Corrupt Financial Empire* de Peter Truell y Larry Gurwin (Houghton, 1992), *A Full Service Bank, How the BCCI Stole Billions Around the World* (Simon & Schuster, 1992), *The Outlaw Bank, A Wild Ride Into the Secret Heart of BCCI* de Jonathan Beaty y S.C. Gwynne (Random House, 1993) y *Bankrupt, the BCCI Fraud* de Nick Kochan & Bob Whittington (Victor Gollancz Ltd., 1991).

[30] El encargado de negocios en Francia de Gaith Pharaon, Farid Djouhri, compró dos páginas de publicidad en *Le Figaro* y *Le Monde* en octubre de 2001. Esta operación de comunicación buscaba desmentir todo vínculo de Gaith Pharaon con Osama Bin Laden y garantizar su honradez. Con todo, Gaith Pharaon está todavía detenido por orden del FBI y del IRS, desde el escándalo del BCCI. También está acusado en Argentina en el caso de tráfico de armas que implica al ex presidente Carlos Menem. Cf. "Gaith Pharaon s'offre la presse française", en *Intelligence Online* del 18 de octubre de 2001.

ra transferir las donaciones saudíes a los *contras* de Nicaragua y el dinero de la CIA a los *mujaidines* en Afganistán. El BCCI también está implicado en el tráfico de armas del comerciante sirio Sarkis Sarkenalian en Afganistán, en el escándalo Keatings en Estados Unidos, en los negocios del comerciante Marc Rich, en la financiación del grupo Abu Nidal, etcétera. En definitiva, el banco se hundió cuando se estableció que también blanqueaba dinero del Cártel de Medellín. Cuando cerró sus puertas había estafado a un millón de pequeños depositarios.

El hecho que el BCCI fuera manipulado, si no creado, por la CIA, no debe sorprender. Existe una larga tradición bancaria en los servicios secretos norteamericanos desde la fundación del OSS por juristas de negocios y corredores de Wall Street. Dos antiguos directores de la CIA, Richard Helms y William Casey, trabajaron en el BCCI: Adnan Khashoggi[31] (representante del Saudi Binladen Group en Estados Unidos) y Manucher Ghobanifar (principal comerciante del Irangate). Sin hablar de Kamal Adham (cuñado del rey Fayçal y del jefe de los servicios secretos saudíes hasta 1977), del príncipe Turki Al Fayçal Al Saud (jefe de los servicios secretos saudíes entre 1997 y agosto de 2001 y tutor de Osama Bin Laden) y de Abdul Raouf Khalid (director adjunto de los servicios secretos saudíes).

A modo de recordatorio, señalaremos que el BCCI también parece haber tenido un papel oculto en Francia. En especial, habría servido para disfrazar la transferencia de tecnología nuclear francoamericana a Pakistán y pagar la liberación de rehenes. Un hombre de negocios próximo a Charles Pasqua, Dominique Santini, fue inculpado en el ex-

---

[31] Ronald Kessler: *Adnan Khashoggi: The Richest Man in the World,* Warner Books Inc., 1986.

tranjero por su papel en el BCCI,[32] independientemente de su enjuiciamiento en Francia por el asunto Elf-Thinet. Tres años después de la quiebra del banco, sus ex dirigentes fueron los que hicieron de intermediarios cuando se pagó el contrato Sawari-II y los que organizaron un sistema de retrocomisiones que —según se consideró— sirvió para financiar la campaña presidencial de Edouard Balladur. Las preguntas planteadas por esta venta estrella a Arabia Saudí condujeron a Jacques Chirac, desde su llegada a la Presidencia de la República, a ordenar que se realicen escuchas telefónicas al ex ministro de Defensa de Edouard Balladur, François Léotard.

El BCCI trabajaba en estrecha colaboración con la SICO,[33] filial suiza de inversiones del Saudi Binladen Group; entre sus administradores se destacaba Salem, uno de los hermanos de Osama Bin Laden.

Khaled Ben Mahfouz, considerado responsable solidario de la quiebra del BCCI, fue inculpado en Estados Unidos en 1992. En 1995 logró que se le retiraran los cargos en su contra tras una transacción con los acreedores del banco por un importe de 245 millones de dólares.

✳ ✳ ✳

Si es exacto, como pretenden muchos oficiales norteamericanos, que la familia Bin Laden sigue manteniendo relaciones con Osama Bin Laden y financiando sus actividades políticas, entonces el Carlyle Group, que gestiona las colocaciones financieras del Saudi Binladen Group, estaría necesariamente implicado en los delitos de la utilización indebida de información confidencial. George Bush padre se-

---

[32] *L'énigme Pasqua* de Thierry Meyssan (Golias, 2001).
[33] Inicialmente la SICO se llamaba CYGNET.

ría, por consiguiente, uno de los afortunados beneficiarios de las maniobras bursátiles del 11 de septiembre de 2001. Una buena razón para que el FBI y el IOSCO cerraran la ventana financiera de la investigación.

Capítulo 9

Los negocios continúan

El 7 de octubre de 2001 George W. Bush interviene solemnemente en televisión. Su discurso no es transmitido desde el Salón Oval, sino desde la sala de tratados de la Casa Blanca: la guerra acaba de empezar.[1]

"Por orden mía, las fuerzas armadas de Estados Unidos han empezado a atacar los campamentos terroristas de Al Qaeda y las instalaciones militares del régimen talibán en Afganistán. Estas acciones, dirigidas cuidadosamente, han sido concebidas para impedir que Afganistán sea utilizado como base de operaciones, y también para atacar la capacidad militar del régimen talibán.

"Nos acompaña en esta operación nuestro fiel amigo, Gran Bretaña. Otros buenos amigos, especialmente Canadá, Australia, Alemania y Francia, han prometido suministrar fuerzas a medida que se desarrolle la operación. Más de cuarenta países de Oriente Medio, África, Europa y Asia han otorgado derechos de tránsito aéreo y aterrizaje. Muchos más han compartido con nosotros datos de sus servicios de información. Nos respalda la voluntad colectiva del mundo.

"Hace más de dos semanas, les presenté a los líderes ta-

---

[1] "Presidential Adress to the Nation", 7 de octubre de 2001; se puede consultar en: http://www.whitehouse.gov/news/releases/2001/10/20011007-8.html.

libanes una serie de demandas claras y específicas: cerrad los campos de entrenamiento de terroristas; entregad a los líderes de la red Al Qaeda; y liberad a todos los ciudadanos extranjeros, entre ellos los ciudadanos estadounidenses que están detenidos injustamente en su país. Ninguna de estas demandas ha sido cumplida. Y ahora los talibanes lo pagarán.

"(…) El pueblo oprimido de Afganistán conocerá la generosidad de Estados Unidos y sus aliados. A medida que ataquemos objetivos militares, también dejaremos caer comida, medicamentos y provisiones para los hombres, mujeres y niños que en Afganistán sufren hambre.

"Estados Unidos es un amigo del pueblo afgano, y somos amigos de los casi mil millones de personas de todo el mundo que profesan la fe islámica. Estados Unidos es enemigo de aquellos que ayudan a los terroristas y los criminales bárbaros que profanan una gran religión al cometer asesinatos en su nombre.

"(…) No hemos pedido esta misión, pero la llevaremos a cabo."

En Londres Tony Blair se dirige a los británicos desde el número 10 de Downing Street. Confirma que tropas de Su Majestad luchan junto a los norteamericanos.

Mientras una lluvia de fuego se abate sobre Kabul, la cadena qatarí de información continua Al Jazira difunde una respuesta grabada de Osama Bin Laden:[2] "Estados Unidos ha sido golpeado por Alá en su punto más vulnerable, destruyendo, gracias a Alá, sus construcciones más prestigiosas y le damos gracias a Alá por eso. Estados Unidos está sembrado de terror de norte al sur y de este a oeste y le damos gracias a Alá por eso. Alá ha dirigido el paso de un grupo de musulmanes, un grupo de vanguardistas que han destruido Nor-

[2] Texto de la declaración de Osama Bin Laden, noticia de AFP del 7 de octubre de 2001.

teamérica y le imploramos a Alá que eleve su rango y los acoja en el paraíso.

"(…) Tras lo sucedido y después de que los altos responsables de Estados Unidos, con el jefe de los impíos del mundo a la cabeza, Bush, han dicho, y después de movilizar a sus hombres y a sus caballos *(sic)* y levantar contra nosotros a los países que pretenden ser musulmanes (…) han ido a combatir a un grupo que lucha por su religión y no se interesa por ese mundo, han salido a combatir al islam y agredir a los pueblos con la excusa del terrorismo.

"(…) Estos acontecimientos han dividido al mundo entero en dos partes: los que tienen fe y no tienen hipocresía y los impíos de los que Dios nos libre. Todo musulmán debe levantarse para defender su religión ya que el viento de la fe y del cambio ha soplado para aniquilar la justicia en la península de Mahommet [la península arábiga, donde nació el profeta del islam].

"A Norteamérica le dirijo palabras contadas, juro por Alá que Norteamérica no conocerá nunca más la seguridad antes de que Palestina la conozca y antes de que todos los ejércitos occidentales ateos abandonen las tierras santas [del islam]".

Este diálogo mediático entre el presidente Bush y el agente de la CIA Bin Laden confirma al mundo que la guerra de Afganistán es una respuesta a los atentados del 11 de septiembre, los negocios pueden empezar.

* * *

La caída de la Unión Soviética y la independencia de los estados de Asia central reabrieron el "Gran Juego".[3] La ex-

---

[3] La expresión "El Gran Juego" fue puesta al día de nuevo por los artículos de Ahmed Rasrid en la *Far Eastern Economic Review*. Véase "The New Great Game in Muslim Central Asia", por M. Ehsan Ahrari, *McNair Paper n° 47*, (Na-

presión, forjada por Rudyard Kipling en el siglo XIX, designa las luchas de influencia a las que se libraron los grandes imperios de la zona evitando así, tanto como les fue posible, enfrentarse directamente.

La zona posee reservas de petróleo y de gas muy importantes. En las montañas también hay piedras preciosas. Además, se cultiva adormidera, la planta de la que se obtiene el opio.[4]

Al acceder a la Casa Blanca, George W. Bush formó su equipo gubernamental con los grandes funcionarios del *lobby* del petróleo. Así, por ejemplo, la consejera nacional de seguridad, Condoleezza Rice,[5] es ex directora de Chevron-Texaco,[6] o la secretaria de Interior, Gale Norton, que representaba los intereses de BP-Amoco[7] y los de la compañía

---

tional Defense University, 1996), en: http://www.ndu.edu/inss/macnair/mcnair47/mcnair47.pdf; "Central Asia: A New Great Game?" por Dianne L. Smith (US Army War College, 1996), en: http://carlisle-www.army.mil/usassi/ssipubs-/pubs96/centasia/centasia.pdf; *The New Great Game: Oil, Politics in the Caucasus and Central Asia* (Heritage Foundation, 1996); "Jihadi Groups, Nuclear Pakistan, and the New Great Game" por Ehsan Ahrari (US Army War College, 2001), en: http://carlisle-www.army.mil/usassi/ssipubs/pubs2001/jihadi/jihadi.pdf; véase también *Les Rivalités autour du pétrole de la mer Caspienne par le Comité 4 de la 51ᵉ session de l'Institut des Hautes études de la Défense nationale,* 1999 (http://www.ihedn.fr).

4 "Taliban and the Drug Trade", por Richard F. Perl (Congressionnal Research Service, The Library of Congress, 5 de octubre de 2001, en: http://www.fpc-.gov/CRS_REPS/crstalib.pdf); y "Central Asia: Drugs and Conflict", por el International Crisis Group, en http://www.crisisweb.org/projects/asia/centralasia/reports/A400495_26112001-2.pdf.

5 "Critics Knock Naming Oil Tanker Condoleezza", por Carla Marinucci, en *San Francisco Chronicle* del 5 de abril de 2001.

6 La Sra. Rice era administradora y accionista de Chevron hasta su nombramiento en el Consejo Nacional de Seguridad. Chevron es la nueva denominación de la empresa fundada por John D. Rockefeller, Standard Oil of California, llamada Esso Standard. Chevron y Texaco se fusionaron el 9 de octubre de 2001, (http://www.ChevronTexaco.com) con 124 mil millones de euros de capital, la nueva empresa es la segunda multinacional US después de Exxon-Mobil (242 mil millones de euros de capital).

7 BP (British Petroleum)-Amoco es el tercer grupo petrolero del mundo con

saudí Delta Oil. Desde el 29 de enero de 2001, el vicepresidente Dick Cheney —ex presidente de Halliburton—[8] instituyó un grupo de desarrollo de la política energética nacional (NEPD). Sus reuniones son ultraseguras: la lista de participantes es un secreto de Estado y está prohibido fijar por escrito las minutas de los debates. Todo lo que lo rodea es tan misterioso que *The Washington Post* lo calificó rápidamente de "especie de sociedad secreta".[9]

Los comentaristas —que ignoraban aún lo que sería la quiebra de Enron, primer agente mundial de energía— coincidían en considerar que el objetivo principal del NEPD era explotar los recursos de hidrocarburos del mar Caspio. La cuestión consistía en saber cómo transportar el gas y el petróleo sin tener que negociar con Rusia e Irán. La idea es construir un oleoducto para comunicar el mar Caspio con el Mediterráneo atravesando Azerbaiyán, Georgia y Turquía (proyecto "BTC" de Bakú-Tbilisi-Ceyhan). Mientras tanto, se construyó otro oleoducto para enlazar el Caspio con el mar Negro, desafortunadamente pasando por Rusia, que cobrará su diezmo. El oleoducto enlaza Tengiz con Novosibirsk y fue inaugurado el 27 de noviembre de 2001. Un tercer oleoducto, el más prometedor, debería enlazar el mar Caspio con el océano Índico (proyecto de la empresa UNOCAL con la ayuda de Delta Oil).[10] Pero hay un problema: deberá atravesar no

---

un capital de 157.000 millones de euros (http://www.bp.com). BP-Amoco fusionó algunos de sus servicios en Europa con Mobil.

[8] Sitio oficial: http://www.halliburton.com/. Con 12,5 mil millones de euros de capital, Halliburton es el primer proveedor de petróleo mundial por delante de Schlumberger (10.000 millones de euros de capital).

[9] "Energy Task Force Works in Secret", por Dana Milbank y Eric Pianin, en *The Washington Post* del 16 de abril de 2001.

[10] Para llevar a cabo su proyecto, UNOCAL creó primero el consorcio Central Asia Gas (llamado CentGas) con Delta Oil, Gazprom y Turmenogaz. Chocó con la competencia inesperada de la argentina Bridas. Luego creó el Central Asian Oil Pipeline Project con la compañía saudí Delta Oil, el gobierno de Turkmenistán, la

sólo Pakistán, sino también Afganistán, presa de luchas intestinas desde que toda forma de Estado ha desaparecido tras la debacle soviética. En diciembre de 1997, UNOCAL tuvo que suspender su proyecto frente a la incomprensión de los talibanes. Todos los intentos de desbloqueo han fracasado desde entonces, a pesar de que el vicepresidente de la empresa, John J. Maresca, fue nombrado embajador de Estados Unidos en Afganistán.

Para lanzar de nuevo el tema, el secretario de Estado, Colin Powell, concede en mayo de 2001 una subvención de 43 millones de dólares al régimen talibán para la reconversión de los campesinos cultivadores de adormidera. Tras obtener el acuerdo de la cumbre del G-8 en Génova (a la que India asiste como observador), se organizan negociaciones en Berlín, que reúnen a norteamericanos, ingleses, pakistaníes, afganos y rusos. Alemania es la anfitriona, puesto que preside en la ONU el grupo de seguimiento de Afganistán. Pero ¿con qué afganos hay que discutir? ¿Con el gobierno legal del presidente Rabbani, reconocido internacionalmente, pero que no controla casi nada, o con el Emirato Islámico gobernado por una secta medieval, los talibanes? Se toma la decisión de invitar a estos últimos, violando la resolución del Consejo de Seguridad de Naciones Unidas que prohíbe recibirlos. Con visados auténticos, los dignatarios talibanes aprovechan su paso por Alemania para predicar y cosechar fondos en Hamburgo.

Los talibanes[11] son una hermandad cerrada, una secta sunita, que profesa el retorno a un islam primitivo. Sus dirigentes son veteranos de la guerra contra los soviéticos, todos mutilados de guerra. Reconocen la autoridad de un mulah de

---

Petroleum (INPEX) de Indonesia, la compañía japonesa ITOCHU, la coreana Hyundai y la pakistaní Crescent Group.

[11] Ahmed Rashid: *L'Ombre des Talibans*, Autrement, 2001.

campo, Omar, que jamás ha viajado en su vida y no conoce ni siquiera el tercio de su país. En el caos que siguió a la salida de los soviéticos, los talibanes lograron salir a flote apelando a las solidaridades étnicas: como la mayor parte de los jefes de los servicios secretos pakistaníes (ISI), son pastunes.

El mulah Omar se autoproclamó Comendador de los Creyentes y creó un Emirato, sólo reconocido por Pakistán, Arabia Saudí y los Emiratos Árabes Unidos. Sin ninguna formación en relaciones internacionales, colocan su confianza en algunos de sus amigos norteamericanos con los que lucharon contra los soviéticos. Así, están representados en Naciones Unidas por Leila Helms, nieta de Richard Helms (director de la CIA de 1966 a 1973). En política interior, los talibanes impusieron una disciplina de hierro a la población, discriminando a las mujeres y prohibiendo los actos impíos. Tras tolerar largamente el cultivo de la adormidera, lo prohibieron, privando a una parte de los campesinos de todo recurso. La secta concedió a Osama Bin Laden una amplia porción de territorio.

Los talibanes, poco hechos a las costumbres diplomáticas, intentan negociar su reconocimiento internacional a cambio del paso del oleoducto. Como esto no es posible, ya que la ONU reconoce a otro gobierno para Afganistán —el del inconsistente presidente Rabbani—, rompen las negociaciones. Según el diplomático pakistaní Niaz Naik, la delegación norteamericana endurece su posición y anuncia a mediados de julio que las diferencias se arreglarán con las armas.

Estados Unidos prevé eliminar a los principales dirigentes de las facciones afganas, ya sea el mulah Omar o el comandante Masud (cuyo antiamericanismo es proverbial), y sustituirlos por un gobierno títere. De la proclamación del ex rey Zahir Shah, antiguo monarca olvidado que termina su vida en el exilio en Roma, conseguirá una aparente legitimidad.

A mediados de julio las grandes potencias dan su visto bueno a este plan. Así, se puede leer en el comunicado final del encuentro entre Hubert Védrine (ministro francés de Asuntos Exteriores) y Francesc Vendrell (jefe de la Misión especial de Naciones Unidas para Afganistán), el 17 de julio de 2001: "Los dos responsables han explorado juntos las pistas que permitirían llevar a término una evolución favorable, en particular, el aliento que la comunidad internacional podría aportar a los esfuerzos del rey *(sic)* para reunir a su alrededor a representantes de la sociedad afgana. También han evocado la utilidad de reforzar el diálogo con Pakistán. Será preciso reflexionar naturalmente también sobre lo que supondría la reconstrucción de Afganistán, una vez que haya terminado el conflicto *(sic)*".[12]

¡Sí! ¡Desde el mes de julio se habla del soberano caído Zahir Shah como rey de Afganistán y se realizan debates paralelos sobre el "conflicto" y la "reconstrucción" del país!

Las negociaciones continúan en Londres, luego en Ginebra, cobijadas por el Business Humanitarian Forum[13] *(sic)* —cuyo presupuesto se ve ampliamente abultado por la petrolera UNOCAL—, pero con objetivos e invitados diferentes (entre los que se encuentran los japoneses, que esperan mucho de los yacimientos petroleros del Caspio). Como preveían los señores Védrine y Vendrell, ya no se prepara la paz, sino la guerra y la reconstrucción.

Temiendo una presión angloamericana demasiado fuerte, Pakistán busca nuevos aliados antes del inicio de la tormenta. Invita a una delegación china a Islamabad y le promete abrir una puerta a China hacia el océano Índico a cambio

---

[12] Conferencia de prensa del 17 de julio de 2001, declaración del portavoz, Ministerio Francés de Asuntos Exteriores; se puede consultar en http://www.-diplomatie.gouv.fr/actual/declarations/pp/20010717.html.
[13] Sitio oficial del Business Humanitarian Forum: http://www.bhforum.org.

de apoyo militar. Irritados, los angloamericanos deciden pasar a la ofensiva más rápido de lo previsto, en cualquier caso antes de que los chinos trastornen el Gran Juego.[14] El mar de Omán es el escenario del mayor despliegue de la flota británica desde la guerra de las Malvinas, mientras que la OTAN encamina a 40.000 hombres hacia Egipto. El 9 de septiembre el carismático líder del Frente Islámico, el muy antiamericano comandante Masud, es asesinado.[15] Los atentados del 11 de septiembre permiten disfrazar como una operación legítima lo que era sólo una clásica expedición colonial.

* * *

La operación tenía que llamarse "Infinita Justicia" (literalmente "Justicia sin límites" o "Justicia infinita"), pero el efecto de comunicación resultó deplorable en el mundo musulmán. Por tanto, se llamó "Enduring Freedom" ("Libertad duradera").[16] Es apoyada por una alianza diplomáti-

---

[14] "Interview vidéo de Niaz Naik", por Benoît Califano, Pierre Trouillet y Guilhem Rondot (coproducción ITV - Dokumenta, octubre de 2001), no difundida.

[15] El asesinato de Shah Masud se mantuvo en secreto varios días y no fue revelado hasta después de los atentados en Estados Unidos. Entonces fue atribuido a Osama Bin Laden. Ahora bien, la versión actual de su muerte no se corresponde del todo con los testimonios recogidos en caliente por la periodista francesa Françoise Causse. En ese momento, el entorno de Shah Masud atribuía el asesinato a los servicios secretos pakistaníes.

[16] Los mejores trabajos de síntesis sobre "Libertad duradera" son los del servicio de estudios del Parlamento británico: "11 September 2001, the Response" (*Research Paper 01/72*, 3 de octubre de 2001), "Operation Enduring Freedom and the Conflict in Afghanistan, an Update" (*Research Paper 01/81*, 31 de octubre de 2001) y "The Campaign Against International Terrorism, Prospects After the Fall of the Taliban" (*Research paper 01/112*). Estos documentos se pueden consultar en: http://www.parliament.uk/commons/lib/research/rp2001/rp01-072.pdf; http://www.parliament.uk/commons/lib/research/rp2001/rp01-081.pdf; http://www.parliament.uk/commons/lib/research/rp2001/rp01-112.pdf, respectivamente.

ca de circunstancias, la Coalición Global, que reúne a 136 estados[17] que ofrecieron su apoyo militar a Estados Unidos.[18] Los norteamericanos, recordando el estancamiento de los soviéticos en los combates por tierra durante la primera guerra de Afganistán (1979-1989), se abstienen de enviar a los GI al lugar. Prefieren comprar a los señores de la guerra a precio de oro y enviarlos a luchar en su lugar contra los talibanes. Este método supone evidentemente armar a facciones rivales violando el embargo de Naciones Unidas. Ante el rumbo de los acontecimientos, Rusia arma de forma masiva al Frente Islámico, mientras que Irán arma a los hazaris chiítas. La Fuerza Aérea norteamericana se conforma con bombardear blancos para apoyar a las fuerzas antitalibanes, y a veces también para contenerlas. En efecto, los objetivos de guerra de los combatientes de las distintas facciones no tienen ninguna relación con los indicados por la Coalición Global (detener a Osama Bin Laden), ni con las ambiciones petroleras oficiosas.

Los angloamericanos cambian entonces de táctica. Recuperan el tradicional ataque con bombas. Los talibanes son incapaces de mantener su dictadura en su territorio y se encuentran aislados en grupos diseminados. Simultáneamente, el Frente Islámico, rebautizado "Alianza del Norte" debido a las necesidades de la comunicación internacional, derriba las desorganizadas líneas de frente de los talibanes.

La Fuerza Aérea estadounidense se ensaña entonces con los fugitivos. Los talibanes intentan reagruparse en Kanda-

---

[17] Para un análisis de los compromisos, estado por estado, cf. *Operation Enduring Freedom: Foreign Pledges of Military & Intelligence Support, Congressional Research Service* (The Library of Congress, 17 de octubre de 2001). Se puede consultar en: http://www.fpc.gov/CRS_REPS/crsfree.pdf.

[18] *The Global War on Terrorism, The First 100 Days,* documento oficial de los Coalition Information Centers. Se puede consultar en: http://www.whitehouse-.gov/news/releases/2001/12/100dayreport.pdf.

har, mientras que los vencedores se libran a diversas masacres, especialmente en Mazar-i-Sharif bajo el mando del general Dostum. En definitiva, de uno a dos millares de fanáticos, talibanes y miembros de Al Qaeda, se reúnen y se esconden en las montañas de Tora-Bora bajo un diluvio de acero, luego negocian su rendición a manos de sus amigos pakistaníes. En total, la aviación angloamericana ha efectuado 4.700 salidas durante las que ha lanzado 12.000 bombas, causando la muerte de más de 10.000 combatientes[19] y "colateralmente", al menos, a unos 1.000 civiles.[20] La escalada militar conduce a la Fuerza Aérea estadounidense a abandonar la teoría de los "objetivos concretos" y a utilizar armas de destrucción masiva, las bombas BLU-82 (llamadas "corta margaritas"),[21] para neutralizar a los últimos combatientes diseminados en las montañas.

La guerra termina con la resolución 1378[22] del Consejo de Seguridad de Naciones Unidas. Fija el marco de portavoces de Bonn[23] (Alemania) donde las distintas facciones afga-

---

[19] Noticia de AFP del 6 de diciembre de 2001.

[20] *Operation Enduring Freedom: Why a Higher Rate of Civilian Bombing Casualties, Projet on Defense Alternatives*, Briefing Report #11 (18 de enero de 2002), en http://www.comw.org/pda/0201oef.html; "US Silence and Power of Weaponery Conceal Scale of Civilian Toll", en *Sydney Morning Herald* del 26 de enero de 2002; "Afghans are Still Dying as Air Strikes Go On. But No One Is Counting", por Ian Traynor, en *The Guardian*; y "Civilian Toll in US Raids Put at 1,000", por John Donnelly y Anthony Shadid, en *Boston Globe* del 17 de febrero de 2002.

[21] Las BLU-82 no fueron concebidas inicialmente para la lucha, ya que los daños que provocan son importantes, incluso para los ingenieros. Servían en Vietnam para desforestar la selva y despejar zonas de aterrizaje de helicópteros.

[22] Resolución 1378 del Consejo de Seguridad, en: http://www.un.org/spanish-/docs/sc01/sres1378.pdf.

[23] Sitio oficial de las negociaciones de Bonn: http://www.uno.de/frieden-/afghanistan/talks.htm; el texto del Acuerdo de Bonn, se puede consultar en: http://www.uno.de/frieden/afghanistan/talks/agreement.pdf.

nas acuerdan un nuevo gobierno.[24] La mesa redonda establece una administración provisional que desea esté presidida por el ex rey Zahir Shah. Este renuncia al cargo como estaba previsto, y Hamid Karzaï se convierte en Primer Ministro. Durante la guerra contra los soviéticos había estado relacionado personalmente con el director de la CIA del momento, William Casey. Luego, emigró a Estados Unidos, donde se hizo amigo de la familia Bush y fue contratado por una filial de UNOCAL.[25] El general Abdel Rachid Dostum, llamado Gengis Khan debido a las atrocidades de las que se confesó culpable hace una veintena de años, logra unirse a tiempo a la Coalición Global. Le funcionará bien: no será perseguido por crímenes de guerra, sino que se integrará a la nueva administración.

El dispositivo se valida, el 6 de diciembre de 2001, en virtud de la resolución 1383[26] del Consejo de Seguridad. Los cientos de miles de afganos que huyeron de su país para escapar a los bombardeos emprenden el camino de regreso.

La operación "Libertad Duradera" estuvo dirigida en el Consejo Nacional de Seguridad por Zalmay Khalilizad.[27] Hijo de un consejero del ex rey Zahir Shah, cursó sus estudios en Norteamérica, en la universidad de Chicago. Luchó con la CIA en su país durante la guerra contra la Unión Soviética antes de nacionalizarse estadounidense y convertirse en consejero del Departamento de Estado con Ronald Reagan.

24 "Strange Victory: a Critical Appraisal of Operation Enduring Freedom and the Afghanistan War", por Carl Conetta, *Project on Defense Alternatives*, monograph #6 (30 de enero de 2002), http://www.comw.org/pda/0201strangevic.html.

25 "Afghanistan, the Taliban and the Bush Oil Team", por Wayne Madsen, en *Democrats.Com* del 23 de enero de 2002.

26 Resolución 1383 del Consejo de Seguridad. Se puede consultar en: http://www.un.org/spanish/docs/sc01/sres1383.pdf.

27 "The Roving Eye, Pipelineistan", investigación en dos partes de Pepe Escobar, en *Asia Times* de los 25 y 26 de enero de 2002.

Bajo la presidencia de Bush padre, fue nombrado subsecretario de Defensa y desempeñó un papel clave en la operación "Tormenta del Desierto" contra Irak. Durante el mandato de Clinton trabajó para la Rand Corporation y UNOCAL. Cuando las negociaciones iban viento en popa con los talibanes, se encargó de su defensa en *The Washington Post,* escribiendo que "no practican en absoluto ese antiamericanismo que profesan los fundamentalistas iraníes". Cambió de punto de vista cuando se rompieron las negociaciones petroleras y se convirtió en el experto de referencia de la Administración Bush después del 11 de septiembre.[28] Al acabar la guerra, fue nombrado representante especial para Afganistán. Deberá encargarse de supervisar la construcción del tan codiciado oleoducto.

Se invita a la prensa internacional a visitar los vestigios de las instalaciones de los talibanes y Al Qaeda, y esta descubre miserables chozas donde se amontonan las armas heredadas de la guerra contra los soviéticos. Pero ningún periodista encuentra fábricas de producción de armas químicas y bacteriológicas, ni los centros de ensamblaje de bombas atómicas y menos aún las bases de lanzamiento de satélites denunciadas por Donald Rumsfeld.

En cuanto al mayor ejército del mundo, este no encuentra al pretendido enemigo público n° 1 que había ido a detener, mientras que el mulah Omar huye en motocicleta a Pakistán.

---

[28] Véase su perfil en "Bush's Favorite Afghan", de Jacob Weisberg, en *Slate* del 5 de octubre de 2001, y "New US Envoy to Kabul Lobbied for Taliban Oil Rights", por Kim Sengupta y Andrew Gumbel, en *The Independent* del 10 de enero de 2002. Léanse (en http://www.lawac.org/speech/khalilzad.html) con atención los escritos de Zalmay Khalilzad: "Speech before the Los Angeles World Affairs Council" (9 de marzo de 2000) y el artículo coescrito con Daniel Byrman "Afghanistan: The Consolidation of a Rogue State", en *The Washington Quaterly* (invierno 2000).

Los negocios continúan. El cultivo de la adormidera puede florecer por fin con destino al mercado norteamericano.[29] Y el 9 de febrero de 2002 Hamid Karzaï y su homólogo pakistaní, el general Musharraf, cierran un acuerdo para la construcción del oleoducto de Asia central.[30]

[29] "Opium Farmers Rejoice at Defeat of the Taliban" por Richard Lloyd Parry en *The Independent* del 21 de noviembre de 2001; y "Victorious Warlords Set to Open the Opium Floodgates", por Paul Harris, en *The Observer* del 25 de noviembre de 2001 (mismo URL que *The Guardian*).

[30] "Musharraf, Karzai Agree Major Oil Pipeline in Co-operation Pact" en *Irish Times* del 9 de febrero de 2002.

Capítulo 10

Operaciones secretas

En una nota redactada por Leonard Wong para el Instituto de Estudios Estratégicos del Ejército estadounidense titulada "Cómo mantener el apoyo del público en las operaciones militares",[1] se puede leer: "el apoyo del público en la acción militar está a un nivel comparable al que siguió al ataque de Pearl Harbor. Los norteamericanos afirman en la actualidad que creen que la acción militar es adecuada, que apoyan una guerra prolongada y que tienen la voluntad de soportar las consecuencias negativas de una guerra. A pesar de que las encuestas les son favorables, los norteamericanos pueden cambiar de opinión repentinamente (…) A medida que recuperen su vida normal, disminuirá el apoyo a una acción militar, salvo si los militares muestran progresos constantes en la guerra contra el terrorismo, mantienen a la nación conectada a sus fuerzas armadas y garantizan la seguridad interior con efectividad, aunque de un modo ampliamente invisible". En otras palabras, la opinión pública respalda masivamente la política norteamericana de guerra contra el terrorismo mientras dure el suspenso.

---

[1] "Maintaining Public Support for Military Operations", por L. Wong, en *Defeating Terrorism, Strategic Issues Analysis* (Strategic Studies Institute). Se puede consultar: http://carlisle-www.army.mil/usassi/public.pdf.

La operación "Libertad Duradera" empezó el 7 de octubre de 2001. El ruido de las armas se aleja hacia Asia central. Teniendo en cuenta el equilibrio de fuerzas, la victoria de la Coalición está ganada antes de librar batalla. La atención del público estadounidense empieza a flaquear. En efecto, cuando se ataca la guarida de Al Qaeda y Osama Bin Laden amenaza a Norteamérica por televisión, no se señala ninguna acción terrorista de las "redes durmientes" implantadas en territorio norteamericano. Se empieza a dudar de la amenaza. ¿Qué creen que ocurrió?

El 12 de octubre las agencias de prensa difunden informaciones alarmantes. Al parecer, algunos periodistas y parlamentarios habían recibido cartas envenenadas con ántrax. En total, cinco cartas trampa fueron enviadas al *National Enquirer*, a NBC, al *New York Post* y a los gabinetes de los senadores Daschle y Leahy. Causarán cinco víctimas. La vida cotidiana de los estadounidenses se detiene. Ya no pueden abrir su correo sin guantes y un pañuelo en la nariz. Se agotan en los comercios las máscaras antigás y los *kits* de supervivencia. Todo el sistema postal queda paralizado. La psicosis se extiende por los países aliados. En todas partes de Europa se descubren cartas que contienen el letal polvo blanco: Al Qaeda ha decidido pasar al ataque y utilizar armas químicas y biológicas que ha amasado gracias a la ayuda técnica de Saddam Hussein. Estados Unidos y sus aliados deciden almacenar reservas de vacunas contra el ántrax. Relanzan de nuevo la industria farmacéutica al encargar millones de dosis. Y luego nada. Salvo las cinco cartas, el resto no era más que bromas de colegiales y una alucinación colectiva.

Quedan las cinco cartas que contenían una forma militarizada de ántrax que había sido producida en los laboratorios del ejército estadounidense. La amenaza era interna. Barbara Hatch Rosenberg, de la Federación de Científicos

Norteamericanos, indica que sólo una cincuentena de investigadores —todos fácilmente identificables— tenían a su disposición cepas y eran capaces de manipularlas.[2] Una carta anónima, dirigida a la base militar de Quantico a finales de septiembre —es decir antes de que la prensa fuera informada de los ataques de ántrax— denuncia las actuaciones de un antiguo investigador de la US AMRIID, el doctor Assad. El FBI hace aspavientos una vez más y no aclara nada.

Una vez superado el pánico y terminada la operación relámpago Libertad Duradera, el público cree poder dar vuelta la página. El Departamento de Defensa se encarga de recordarle la amenaza. Con un gran refuerzo de imágenes impactantes, "terroristas particularmente peligrosos" son encarcelados en la base militar de Guantánamo (Cuba). Los terroristas son enviados en avión desde Afganistán después de haber sido drogados y atados a sus asientos. En la base, son sometidos a un programa de privación sensorial: antifaz sobre los ojos, cascos en los oídos, tapones en la nariz.

Los juristas del Departamento de Defensa[3] explican sin pestañear que sólo las leyes federales prohíben la práctica de la tortura, y que estas no se aplican en Guantánamo,[4] situada fuera del territorio de Estados Unidos. En cuanto a la Constitución, no dice palabra alguna sobre el tema. El general francés Paul Aussaresses, que reivindica haber organizado

[2] "Is the FBI Dragging Its Feet?", por Barbara Hatch Rosenberg, Federation of American Scientists, 5 de febrero de 2002; se puede consultar en Internet: http://www.fas.org/bwc/news/anthraxreport.htm
[3] Sobre esta polémica: "Trying Terrorists as War Criminals", por Jennnifer Elsea, Congressional Research Service (The Library of Congress, 29 de octubre de 2001); en: http://www.fpc.gov/CRS_REPS/trying%20terrorists.pdf.
[4] La base de Guantánamo fue concedida a Estados Unidos por 99 años por una Cuba, de nuevo independiente, tras la guerra hispanoamericana. El arrendamiento no fue renovado por Fidel Castro cuando venció. No obstante Estados Unidos no evacuó Guantánamo y sigue ocupándola ilegalmente. En derecho internacional, se aplica la ley cubana en el territorio de la base, pero el Gobierno cubano no puede ejercer su autoridad.

la tortura en Argelia y que prodigó ulteriormente su mórbida enseñanza a las fuerzas especiales norteamericanas, explica doctamente en televisión la utilidad de la tortura.[5] La "comunidad internacional" se conmueve. Mary Robinson, alta comisaria de Naciones Unidas para los Derechos del Hombre (y ex presidenta de la República de Irlanda), se indigna públicamente y llama al orden al Gobierno norteamericano:[6] las personas detenidas gozan del estatuto de prisioneros de guerra definido en la Convención de Ginebra. Deben ser tratados con humanidad y el proceso judicial debe ser justo y equitativo.

∗ ∗ ∗

Mientras la opinión pública se estremece y se agita, la "guerra contra el terrorismo" se inicia en la sombra. Ahora bien, el terrorismo no es ni un estado, ni una organización, ni una doctrina, sino un mundo de acción. Puede ser tanto utilizado por gobiernos (la dictadura de Robespierre, en 1793, se llamó "el Terror") como por minorías de la oposición. A veces, el terrorismo está plenamente justificado. Así, durante la Segunda Guerra Mundial, la Resistencia francesa emprendió acciones terroristas contra las fuerzas de ocupación y de colaboración, civiles y militares. La expresión "guerra contra el terrorismo" no tiene en sí misma más sentido que "guerra contra la guerra".

Es cierto que George W. Bush tiene una concepción muy limitada del terrorismo. Así, no considera como "terrorista"

[5] "L'autre sale guerre d'Aussaresses", por Pierre Abramovici, en *Le Point* del 15 de junio de 2001, y "The French Connection in the Export of Torture" por César Chelala, en *The International Herald Tribune* del 22 de junio de 2001.
[6] Declaración de la alta comisaria de los Derechos del Hombre sobre la detención de prisioneros talibanes y de Al Qaeda en Guantánamo, Naciones Unidas, 16 de enero de 2002 (documento HR/02/4), en http://www.unhcr.

la acción de los escuadrones de la muerte en Nicaragua, hasta el punto de nombrar a su antiguo protector, John Negroponte, embajador de Estados Unidos en la ONU.[7] Para él, en un mundo ahora unipolar desde la disolución de la Unión Soviética, el terrorismo parece definirse como toda forma violenta de contestación al liderazgo norteamericano.

Bob Woodward (uno de los dos periodistas que destaparon el Watergate), basándose en las revelaciones de varios participantes y tras consultar los documentos de la sesión, ha descripto con precisión en *The Washington Post* la reunión del gabinete Bush durante la que la CIA obtuvo poderes ilimitados para emprender la "guerra secreta contra el terrorismo".[8] Fue el 15 de septiembre de 2001, durante un seminario gubernamental en Camp David.

La reunión empezó obviamente con un momento de oración que dirigió George W. Bush y al que todos los asistentes fueron invitados a participar. Luego, el secretario del Tesoro y el secretario de Estado expusieron sus respectivas acciones. George Tenet, director de la CIA, presentó entonces dos proyectos basados en documentos con una presentación particularmente cuidada. El primero se titulaba "Golpe inicial: destruir Al Qaeda, cerrar el santuario [afgano]". Tenet describió la necesidad de emprender acciones secretas contra Al Qaeda, no sólo en Afganistán, sino en todo el mundo, si fuera necesario en cooperación con los servicios de países no democráticos. Después de obtener el consentimiento de todos, solicitó poderes indispensables para realizar ese objetivo. "Tenet quería un decreto de atribución lo bastante general para que la CIA pudiera conducir todas las

<hr />

[7] "Negroponte entre à l'ONU sur un vote unanime du Sénat", por Jean-Guy Allard, *Gramma International,* octubre de 2001.

[8] "Saturday, September 15, At Camp David, Advise and Dissent", por Bob Woodward y Dan Balz, en *The Washington Post* del 31 enero de 2002.

operaciones secretas necesarias sin tener que pedir una aprobación formal para cada operación particular. Tenet aseguró que necesitaba nuevas competencias para que la agencia pudiera actuar sin restricciones —y que esperaba la confianza del Presidente para arriesgarse—. Llevaba consigo un proyecto de decreto presidencial que concedía a la CIA el poder de utilizar todos los instrumentos de las operaciones secretas, incluido el asesinato (...) Otra propuesta era que la CIA reforzara sus vínculos con importantes servicios secretos extranjeros. Tenet quería lograr la cooperación de esas agencias con los cientos de millones de dólares del presupuesto que esperaba obtener. Utilizar tales servicios como subcontratados podría triplicar o cuadruplicar la eficacia de la CIA. Como muchas cosas en el mundo de las operaciones secretas, este tipo de arreglos conllevan riesgos: eso relacionará a Estados Unidos con agencias de dudosa reputación, algunas con terribles balances en materia de Derechos Humanos. Algunos de esos servicios tienen fama de ser brutales y recurren a la tortura para obtener confesiones."

La reunión prosiguió en un ambiente menos tenso. Tenet expuso su estrategia en Afganistán. Luego, recuperando el aliento, presentó el segundo documento. Se titulaba "Matriz del ataque mundial". "Describía operaciones secretas en curso en 90 estados u operaciones que recomendaba iniciar. Las acciones iban desde el campo de la propaganda rutinaria al asesinato en la preparación de ataques militares." Rumsfeld, superando las tradicionales rivalidades entre la CIA y el Pentágono, lo aprobó calurosamente. "Cuando el director de la CIA acabó su presentación, Bush no dejó ninguna duda de lo que pensaba y exclamó con entusiasmo '¡Buen trabajo!'".

Esta guerra secreta ya ha empezado. En la sombra, la CIA ha asestado algunos golpes en todas partes del mundo a los opositores a la política de George W. Bush. El periodista Wayne Madsen ha identificado a cuatro célebres víctimas.[9]

• El 11 de noviembre de 2001 el líder de Papuasia occidental, Theys Eluay, fue raptado por una unidad especial del ejército indonesio, el KOPASSUS. Esta unidad, implicada en las masacres de Timor Oriental, fue formada por el *stay behind* norteamericano y está protegida por la CIA. Theys Eluay abogaba por la independencia de su país y se oponía al pillaje de recursos mineros de Freeport McMoran, una empresa de Louisiana de la que el doctor Henry Kissinger en persona es director emérito.

• El 23 de diciembre de 2001, Chef Bola Ige, ministro de Justicia de Nigeria, fue asesinado en su habitación por un comando no identificado. Era el desafortunado candidato a la presidencia en nombre de la alianza panyoruba para la democracia y ponía en duda los privilegios concedidos a Chevron (de la que Condoleezza Rice fue directora) y Exxon Mobile.[10]

• En enero de 2002 el gobernador de la provincia de Aceh dirigió una carta al líder del Movimiento de Liberación de Aceh, Abdullah Syaffi, para proponerle su participación en las negociaciones de paz. Syaffi no se conformó con reclamar la independencia, se opuso a las perforaciones de Exxon Mobile. Reclamaba la no violencia —era miembro de UNPO en los Países Bajos—, y estuvo en el maquis. La carta contenía un chip que permitió a los satélites de la NSA (Agencia Nacional de Seguridad) localizarlo. Un comando del KOPASSUS lo asesinó el 22 de enero.

• El líder de extrema derecha, Elie Hobeika, jefe de las

9 "J'Accuse - Bush's Death Squads", por Wayne Madsen, en *MakingNews.Com* del 31 de enero de 2002.
10 "Death of a Patriot", en *Newswatch* del 30 de diciembre de 2001.

milicias cristianas libanesas, y sus guardaespaldas murieron el 24 de enero en un atentado con coche bomba. Hobeika, principal responsable de la masacre de Sabra y Chatila (1982), se había enfrentado a Israel y quería atestiguar contra Ariel Sharon en el proceso iniciado contra este en Bélgica por crímenes contra la humanidad. La operación habría sido ideada conjuntamente por la CIA y el Mossad.[11]

¿Han dicho "lucha contra el terrorismo"?

* * *

The Washington Post publica el 13 de febrero un largo artículo del doctor Henry Kissinger.[12] El inspirador de la política exterior estadounidense relata los debates en curso en la capital. Tras la victoria en Afganistán, son posibles tres opciones.

En primer lugar, considerar que el trabajo ha terminado y que esto supondrá una lección para los que tengan la tentación de imitar a los talibanes; en segundo lugar, presionar a ciertos estados complacientes con los terroristas, como Somalia y el Yemen; o, en tercer lugar, concentrarse en el derrocamiento de Saddam Hussein en Irak para manifestar la continuidad de la voluntad norteamericana y modificar los equilibrios regionales en Oriente Medio.

Y Henry Kissinger aboga por un ataque decisivo contra Irak combinando el despliegue de fuerzas y el apoyo a la oposición. Como la prueba resulta positiva, la Administración Bush se aviene.

El 29 de enero el presidente de Estados Unidos pronuncia ante el Congreso el tradicional "discurso sobre el estado

---

[11] "Elie Hobeika, le choc d'un assassinat", y "Détails exclusifs sur l'attentat", en *L'Hebdo Magazine* del 22 de febrero de 2002.

[12] "Phase II and Iraq", por Henry Kissinger, en *The Washington Post* del 13 de febrero de 2002.

de la Unión", esta vez en presencia del Primer Ministro del Gobierno de transición afgano, Hamid Karza, y anuncia los nuevos objetivos de la "guerra contra el terrorismo":

"Estados Unidos perseguirá dos grandes objetivos sin tregua y con paciencia.

"En primer lugar debemos cerrar los campos de entrenamiento, desbaratar los planes de los terroristas y hacer que comparezcan ante la justicia. En segundo lugar, debemos impedir a los terroristas y gobiernos que quieran dotarse de armas químicas, biológicas o nucleares que amenacen a Estados Unidos y el mundo. Nuestro ejército dejó los campos de entrenamiento de los terroristas en Afganistán sin posibilidades de actuaciones dañinas, pero al menos en una docena de países existen otros. Un mundo terrorista clandestino, compuesto por grupos tales como Hamas, Hezbollah, la Jihad islámica y la Jaish-i-Mohamed, opera en selvas y desiertos aislados y se agazapa en pleno corazón de las grandes ciudades.

"(...) Nuestro segundo objetivo consiste en impedir que los gobiernos que apadrinan el terrorismo amenacen a Estados Unidos y sus amigos con armas de destrucción masiva.

"Algunos de esos gobiernos viven tranquilos desde el 11 de septiembre. Pero nosotros conocemos su verdadero carácter. Corea del Norte es un gobierno que se está equipando con misiles con armas de destrucción masiva mientras su población padece hambrunas.

"Irán se emplea activamente en mostrar su hostilidad hacia Estados Unidos y sostener el terrorismo. El gobierno iraquí complota desde hace más de diez años para poner a punto el bacilo del carbúnculo, gases neurotóxicos y armas nucleares. Es un gobierno que ya ha utilizado gases asfixiantes para matar a miles de sus propios ciudadanos, dejando los cadáveres de las madres acurrucados sobre los de sus hijos. Es un gobierno que, tras haber aceptado las inspecciones internacionales, expulsó a los inspectores. Es un gobierno que esconde cosas al mundo civilizado.

"Tales estados constituyen, con sus aliados terroristas, un Eje diabólico y se arman para amenazar la paz mundial."

* * *

Para los aliados de Estados Unidos, la presión se hace demasiado fuerte. Desde hace cinco meses deben resignarse en silencio. Durante el período de luto que sigue a los atentados del 11 de septiembre no es posible ninguna crítica decente a la deriva estadounidense. Y Estados Unidos se ha esmerado justamente en extender el luto a sus aliados y prolongarlo mediante todo tipo de ceremonias conmemorativas y shows televisados.

Sin embargo, el 6 de febrero, el ministro de Asuntos Exteriores francés, Hubert Védrine, toma una decisión.[13] Actúa con el aval del Primer Ministro y del Presidente de la República y declara en France-Inter:

"Somos los aliados de Estados Unidos, somos amigos de ese pueblo. Hemos sido sincera y profundamente solidarios con esta tragedia del 11 de septiembre, ante el ataque terrorista. Nos hemos comprometido, como muchos otros gobiernos, en la lucha contra el terrorismo. No sólo por solidaridad con el pueblo norteamericano, sino porque es lógico y debemos extirpar ese mal. También hay que tratar las raíces. Y hoy en día nos vemos amenazados por un nuevo simplismo, el de reducir todos los problemas del mundo a la única lucha contra el terrorismo. Eso no es serio.

"(…) No se pueden reducir todos los problemas del mundo a la lucha contra el terrorismo —incluso aunque sea

---

[13] Entrevista de Hubert Védrine con France-Inter: *Question directe*, 6 de febrero de 2002, en http://www.diplomatie.fr.

indispensable luchar contra el terrorismo— únicamente con medios militares. Hay que tratar las raíces. Es preciso tratar las situaciones de pobreza, de injusticia, de humillación, etcétera.

"(…) Europa debe ser ella misma. Si no estamos de acuerdo con la política norteamericana, tenemos que decirlo. Podemos decirlo y debemos decirlo (…). Ser amigo del pueblo norteamericano, aliado de Estados Unidos en la Alianza Atlántica, no significa estar alineado. Eso no significa haber renunciado a todo pensamiento sobre lo que sea.

"(…) Dialogaremos con Estados Unidos y lo haremos en la amistad. No pedimos que Estados Unidos se quede en su casa, al contrario. Deseamos unos Estados Unidos que se comprometan con el mundo, porque no existe ningún problema serio que pueda arreglarse sin Estados Unidos. Les pedimos que se comprometan, pero que se comprometan en base al multilateralismo, a la asociación y a que se pueda hablar con ellos. Si es preciso subir un poco el tono para hacernos escuchar, lo haremos."

En Washington, Colin Powell recibe las declaraciones del ministro francés con altanería y lanza pullas contra esos "intelectuales parisinos que se dan empaque".

Dos días más tarde, el Primer Ministro, Lionel Jospin, aprovecha una reunión de los presidentes de los Parlamentos de la Unión Europea para remachar el clavo ante un auditorio internacional:[14]

"Al día siguiente de los atentados del 11 de septiembre, manifestamos una solidaridad sin fisuras con Estados Unidos y contribuimos junto con ellos a la respuesta que exigía esta agresión. Esta acción común contra el terrorismo conti-

---

14 Alocución del Primer Ministro ante la conferencia de presidentes de los Parlamentos de la Unión Europea contra el blanqueo de dinero. Asamblea Nacional, 8 de febrero de 2002 (http://www.premier-ministre.gouv.fr).

nuará con determinación. Pero eso no significa en absoluto que no debamos reflexionar de un modo lúcido sobre las lecciones que debemos sacar de los acontecimientos del 11 de septiembre. En efecto, no se pueden reducir los problemas del mundo a la única dimensión de la lucha contra el terrorismo —cualquiera que sea su imperiosa necesidad—, ni contar únicamente para resolverlas con la predominancia de los medios militares.

"Nuestra concepción del mundo busca construir una comunidad internacional más equilibrada, un mundo más seguro y más justo. Esta concepción se basa en la gestión multilateral. Apuesta por todas las formas de cooperación que permiten a los miembros de la comunidad internacional acometer juntos los problemas de fondo, ya que ninguno de ellos puede pretender resolverlo por sí mismo (…) Deseamos que Estados Unidos, sin caer en la fuerte tentación del unilateralismo, se comprometa de nuevo con nosotros en esta vía, ya que sin ellos, los nuevos equilibrios que buscamos serán más difíciles de alcanzar. En cuanto a nosotros, seguiremos trabajando para que estas concepciones prosperen."

El escepticismo se extiende por Europa. Al día siguiente le toca a Chris Patten (comisario europeo encargado de las Relaciones Exteriores de la Unión) "romper el silencio". En una entrevista concedida a *The Guardian*, desarrolla las críticas francesas del "absolutismo y el simplismo" sazonándolas con observaciones agridulces sobre la necesidad de Estados Unidos de saber escuchar a sus aliados: "Gulliver no puede hacer de caballero solo y no es bueno que nos consideremos como liliputienses que no se atreven a levantar la voz".[15] El 10 de febrero el contagio llega a la conferencia de

---

[15] "Breaking the Silence", entrevista con Chris Patten, en *The Guardian* del 9 de febrero de 2002.

154

ministros europeos de Asuntos Exteriores, reunidos en Cuenca (España). Todos se unirán tras el inesperado tándem Védrine-Patten.

Con motivo de la cumbre de la OTAN en Berlín, la honda alcanza a la Alianza. El Primer Ministro canadiense, Jean Chrétien, recuerda que las resoluciones de la ONU y la OTAN sólo afectan a Afganistán y que no entenderá que Estados Unidos se comprometa unilateralmente en otros conflictos.[16]

¿Acaso se acerca el momento de la verdad?

---

[16] "Chrétien Resists American Pressure on Iraq", por Sandra Cordon, en *The Halifax Herald* del 18 de febrero de 2002, y "US Worries about PM's Position on Fighting Iraq", por Daniel Leblanc en *Globe and Mail* del 18 de febrero de 2002.

Capítulo 11

La conjura

Los elementos de los que disponemos ahora hacen pensar que los atentados del 11 de septiembre fueron patrocinados desde el interior del aparato de Estado norteamericano. Sin embargo, esta conclusión nos impresiona porque estábamos acostumbrados a la leyenda del "complot Bin Laden" y porque nos resulta duro pensar que los norteamericanos pudieron sacrificar cínicamente a cerca de 3.000 compatriotas. No obstante, en el pasado, el Estado Mayor Conjunto estadounidense planificó —pero jamás realizó— una campaña de terrorismo contra su propia población. Es preciso recordar la historia.

✳ ✳ ✳

En 1958, en Cuba, los sublevados encabezados por los coroneles Fidel y Raúl Castro, Che Guevara y Camilo Cienfuegos derrocan al régimen títere de Fulgencio Batista. El nuevo Gobierno, que todavía no es comunista, pone fin a la explotación sistemática de la isla a la que se libraban un grupo de multinacionales estadounidenses (Standard Oil, General Motors, ITT, General Electric, Sheraton, Hilton, United Fruit, Est Indian Co.) y la familia Bacardí desde seis años atrás. Recíprocamente, estas empresas convencen al presidente Eisenhower de derrocar a los castristas.

El 17 de marzo de 1960 el presidente Eisenhower aprueba un "Programa de acciones clandestinas contra el régimen castrista" comparable a la "Matriz" de George Tenet, aunque limitado sólo a Cuba. Su objetivo es "sustituir el régimen de Castro por otro, más fiel a los verdaderos intereses del pueblo cubano y más aceptable para Estados Unidos, con medios que eviten que sea visible la intervención norteamericana".[1]

El 17 de abril de 1961 una brigada de exiliados cubanos y de mercenarios, más o menos discretamente enmarcada en la CIA, intenta un desembarco en la Bahía de Cochinos. La operación fracasa. El presidente John F. Kennedy, que acaba de llegar a la Casa Blanca, se niega a enviar a la Fuerza Aérea estadounidense para apoyar a los mercenarios. Mil quinientos hombres son hechos prisioneros por las autoridades cubanas. Kennedy condena la operación y destituye al director de la CIA (Allen Dulles), al director adjunto (Charles Cabell) y al director del *stay behind* (Richard Bissell). Encarga una investigación interna a su consejero militar, el general Maxwell Taylor, pero no se toma ninguna medida concreta. Kennedy se pregunta sobre la actitud del Estado Mayor Conjunto que dio el visto bueno a la operación, cuando se sabía que estaba condenada al fracaso.[2]

Todo parece haber sucedido como si los generales hubieran intentado implicar a Estados Unidos en una guerra abierta contra Cuba.

Aunque el presidente Kennedy sancionó los métodos y fracasos de la CIA, no puso en duda la política de hostilidad de Washington respecto al poder de La Habana. Creó un

---

[1] "A Program of Covert Operations Against the Castro Regime", documento desclasificado de la CIA con fecha del 16 de abril de 1961.
[2] "The Chairmen of the Joint Chiefs of Staff", Willard J. Webb y Ronald H. Cole, DoD, 1989. "Swords and Plowshares", Maxwell D. Taylor, 1972.

"grupo especial ampliado" encargado de concebir y llevar a cabo la lucha anticastrista. Este grupo estaba compuesto por su hermano Robert Kennedy (fiscal general), su consejero militar (el general Maxwell Taylor), el consejero nacional de Seguridad (Mc George Bundy), el secretario de Estado (Dean Rusk), asistido por un consejero (Alexis Johnson), el secretario de Defensa (Robert McNamara), asistido por un consejero (Roswell Gillparic), el nuevo director de la CIA (John McCone) y el jefe de Estado Mayor Conjunto (el general Lyman L. Lemnitzer).

Este grupo especial ampliado ideó un conjunto de acciones secretas agrupadas con el título genérico de operación "Mangoose" (mangosta). Para llevarlas a cabo se encarga la coordinación operativa entre el Departamento de Estado, el Departamento de Defensa y la CIA al general Edward Lansdale (ayudante del secretario de Defensa, encargado de las operaciones especiales, y en calidad de director de la NSA). Mientras, en el seno de la CIA se constituye una unidad *ad hoc*, el "Grupo W", dirigido por William Harvey.

✳ ✳ ✳

En abril de 1961 el ejército de Estados Unidos atraviesa una grave crisis: el general Edwin A. Walker, que había suscitado los enfrentamientos racistas de Little Rock antes de tomar el mando de la infantería destacada en Alemania, es destituido por el presidente Kennedy.[3] Es acusado de desarrollar un proselitismo de extrema derecha en el ejército. Posiblemente él mismo pertenecía a la John Birch Society y a los Caballeros Auténticos del Ku Klux Klan.

---

3 Véase nuestro estudio "Les Forces spéciales clandestines", en *Les Notes d'information du Réseau Voltaire* n° 235. Para más detalles, *Edwin A. Walker and the Right Wing in Dallas*, por Chris Cravens, South Texas State University, 1993.

La comisión de Asuntos Exteriores del Senado lleva a cabo una investigación sobre la extrema derecha militar. El senador Albert Gore (demócrata, Tennessee), padre del futuro vicepresidente norteamericano, se encarga de las comparecencias. Los senadores sospechan que el jefe de Estado Mayor Conjunto, el general Lyman L. Lemnitzer, ha participado en el "complot Walker".[4] Gore sabe que Lemnitzer es un especialista en acción secreta: en 1943 había dirigido personalmente las negociaciones que intentaron que Italia se pusiera en contra del Reich; más adelante, en 1944 condujo con Allen Dulles las negociaciones secretas con los nazis en Ascona (Suiza) preparando su capitulación (operación Sunrise).[5] Participó en la creación de la red *stay behind* de la OTAN, alineando a agentes nazis para luchar contra la Unión Soviética, y en las operaciones que permitieron que los responsables de crímenes contra la humanidad encontraran refugio en Latinoamérica. Pero Gore no logró demostrar su responsabilidad en los acontecimientos contemporáneos.

La correspondencia secreta del general Lemnitzer, publicada recientemente, demuestra que conspiró con el comandante de las fuerzas norteamericanas en Europa (el ge-

---

[4] Desde el final de la guerra de Corea, el mayor general Edwin Walker estaba convencido de que el Gobierno de Estados Unidos estaba comprometido en una política de abandono frente a la progresión comunista. Tras ser destituido de sus funciones por el secretario de Defensa, Robert McNamara, y ser censurado, fomentó un motín en la universidad de Mississipi para protestar por la contratación de un profesor negro. Entonces fue perseguido por el fiscal general, Robert Kennedy, y detenido por conspiración sediciosa, insurrección y rebelión. Beneficiado por el apoyo de la prensa conservadora que lo señalaba como el "prisionero de los Kennedy", fue puesto en libertad tras pagar una fianza de 100.000 dólares. Más adelante lo encontraremos financiando un complot del OAS para asesinar a Charles de Gaulle, y luego impulsando el "Comité 8F" sospechoso de haber planificado el asesinato de John F. Kennedy.

[5] Allen Dulles: *Les Secrets d'une reddition*, Calmann-Lévy, 1967.

neral Lauris Norstad) y otros oficiales de muy alto rango para sabotear la política de John F. Kennedy.

Los militares extremistas denuncian el rechazo de Kennedy a la intervención militar en Cuba. Consideran a los civiles de la CIA como responsables de la mala planificación del desembarco en la Bahía de Cochinos y al presidente Kennedy como un traidor por haber rechazado el apoyo de la Fuerza Aérea estadounidense. Para desbloquear la situación proyectan dar un pretexto político a Kennedy para emprender una intervención militar. Este plan, llamado operación "Northwoods" (Madera del norte), da lugar a estudios avanzados formalizados por el general de brigada William H. Craig. El propio general Lemnitzer presenta el plan al Grupo Especial Ampliado el 13 de marzo de 1962. La reunión tiene lugar en el Pentágono, en el despacho del secretario de Defensa, desde las 14.30 hasta las 17.30. Termina muy mal: Robert McNamara rechaza el plan en su conjunto, mientras el general Lemnitzer endurece su posición. Siguen seis meses de permanente hostilidad entre la Administración Kennedy y el Estado Mayor Conjunto, luego se produce el alejamiento de Lemnitzer y su nombramiento como jefe de las fuerzas armadas de Estados Unidos en Europa. Antes de partir, el general da la orden de destruir todas las huellas del proyecto Northwoods, pero Robert McNamara conserva la copia del memo que le había sido entregada[6] (cf. Anexos).

•   ✳ ✳ ✳

[6] Los documentos de la operación Northwoods fueron inicialmente publicados en Australia por Jon Elliston (*Psy War on Cuba, The Declassified History of US Anti-Castro Propaganda*, Ocean Press, 1999) sin que provocaran reacciones en Estados Unidos. Fueron de nuevo explotados por el periodista de ABC News, James Bamford, en su historia de la NSA (*Body of Secrets, Anatomy of the Ultra-Secret National Security Agency from the Cold War to the Dawn of a New Century*, Doubleday, 2001) suscitando entonces una gran conmoción entre los historiadores.

La operación Northwoods consistía en convencer a la comunidad internacional de que Fidel Castro era un irresponsable hasta el punto de representar un peligro para la paz de Occidente. Para ello estaba previsto orquestar, y luego imputar a Cuba, los graves daños sufridos por Estados Unidos. Estas son algunas de las provocaciones proyectadas:

• Atacar la base norteamericana de Guantánamo. La operación sería conducida por mercenarios cubanos con uniforme de las fuerzas de Fidel Castro; incluiría sabotajes y la voladura del depósito de municiones, lo que provocaría necesariamente considerables daños materiales y pérdidas humanas.

• Volar un buque norteamericano en aguas territoriales cubanas de modo que se reavivara la memoria de la destrucción del Maine, en 1898 (266 muertos), lo que provocó la intervención norteamericana contra España.[7] En realidad el buque estaría vacío y sería teledirigido. Se haría de modo que la explosión fuera visible desde La Habana o Santiago para que se dispusiera de testigos. Se llevarían a cabo operaciones de auxilio para dar credibilidad a las pérdidas. Se publicaría una lista de víctimas en la prensa y se organizarían falsas exequias para suscitar indignación en la gente. La operación se desencadenaría cuando buques y aviones cubanos se encontraran en la zona para poder imputarles el ataque.

• Aterrorizar a los exiliados cubanos organizando algunas explosiones contra ellos en Miami, Florida e incluso Washington. La operación incluiría la detención de falsos agentes cubanos para disponer de confesiones. Se intercep-

---

[7] En esa época, Cuba era colonia española. Estados Unidos intervino militarmente para acabar la descolonización de Cuba e imponerle a esta un estatuto de protectorado.

tarían documentos comprometedores falsos, establecidos con antelación, y se distribuirían a la prensa.

• Movilizar a los Estados vecinos de Cuba haciéndoles creer en una amenaza de invasión. Un falso avión cubano bombardearía por la noche la República Dominicana u otro estado de la zona. Las bombas utilizadas serían obviamente de fabricación soviética.

• Movilizar a la opinión pública internacional destruyendo un vuelo espacial con tripulación. Para que la operación tuviera más fuerza, la víctima podría ser John Glenn, el primer norteamericano que recorrió una órbita completa de la Tierra (vuelo Mercury).

Por otra parte, se estudiarían más concretamente otras provocaciones:

• "Es posible crear un incidente que demuestre de un modo convincente que un avión cubano ha atacado y ha derribado un vuelo chárter civil que iba desde Estados Unidos a Jamaica, Guatemala, Panamá o Venezuela." Un grupo de pasajeros cómplices, que podrían ser estudiantes, por ejemplo, tomarían un vuelo chárter de una compañía propiedad de la CIA bajo mano. A la altura de Florida, el avión se cruzaría con una réplica, de hecho un avión en apariencia idéntico, pero vacío y transformado en avión teledirigido. Los pasajeros cómplices regresarían a una base de la CIA, mientras que la copia continuaría aparentemente su trayecto. El aparato emitiría mensajes de peligro indicando que estaba siendo atacado por un caza cubano y estallaría en vuelo.[8]

---

[8] La vigilancia del espacio aéreo es tal que hoy en día sería difícil sustituir aviones sin que los controladores notaran el engaño. Sin embargo no es imposible. Se sabe que cada avión de línea está dotado de un transponedor que emite una señal de identificación y los datos del vuelo (altitud, velocidad, etcétera), de

La realización de estas operaciones implica necesariamente la muerte de numerosos ciudadanos norteamericanos, civiles y militares. Pero precisamente su costo humano es lo que hace eficaces las acciones de manipulación.

✳ ✳ ✳

Para John F. Kennedy, Lemnitzer es un anticomunista histérico apoyado por multinacionales sin escrúpulos. El nuevo presidente entiende ahora el sentido de la advertencia de su predecesor, el presidente Eisenhower, un año antes, durante su discurso de final de mandato: "En los consejos de Gobierno, debemos precavernos de la adquisición de una influencia ilegítima, ya sea buscada o no, del complejo militar e industrial. Existe y persistirá el riesgo de un trágico desarrollo de un poder usurpado. No debemos dejar nunca que el peso de esta conjunción amenace nuestras libertades o los procesos democráticos. No debemos considerar nada como experiencia. Sólo la vigilancia y la conciencia ciudadana pueden garantizar el equilibrio entre la influencia de la gigantesca maquinaria industrial y militar de defensa y nuestros métodos y objetivos pacíficos, de modo que la seguridad y la libertad puedan crecer juntas".[9]

---

manera que los controladores no ven en sus pantallas de radar un punto, sino la matrícula del aparato. No obstante, el conocimiento exacto del espacio aéreo está protegido por el secreto de Defensa, así los radares civiles están equipados con un filtro que los *ciega* cuando detectan aviones cuyos transponedores emiten códigos militares. Para sustituir los aviones, sería por tanto necesario disponer de un código militar y cortar el transponedor civil durante la sustitución. Nótese que el 11 de septiembre, los transponedores de los cuatro aviones oficialmente desviados dejaron de emitir por causas desconocidas. Según el procedimiento vigente, los controladores aéreos deben establecer de inmediato un contacto por radio para comprobar que el avión no esté en peligro y, en su defecto, prevenir a las autoridades militares (NORAD) para que establezcan contacto visual con sus cazas.

[9] "Dwight Eisenhower, Farewell Ardes", 17 de enero de 1961.

En definitiva, John F. Kennedy resiste ante los generales Walker, Lemnitzer y sus amigos, y rechaza comprometer más a Norteamérica en una guerra a ultranza contra el comunismo, en Cuba, Laos, Vietnam o donde sea. Es asesinado el 22 de noviembre de 1963.[10]

El general Lemnitzer se jubila en 1969. Pero en 1975, cuando el Senado empieza las investigaciones sobre el papel exacto de la CIA durante la Administración Nixon, Gerald Ford, que ejerce provisionalmente la presidencia desde el escándalo del Watergate, le pide que participe en esta investigación. Tras ayudar a enterrar la polémica, Ford lo requiere de nuevo para animar un grupo de presión, el CPD (Committee on the Present Danger/Comité sobre el Peligro Actual). Esta asociación es una creación de la CIA, entonces dirigida por George Bush padre, que está llevando a cabo la campaña contra el peligro soviético. Entre sus administradores se encuentran varios responsables de la CIA y Paul D. Wolfowitz (actual secretario adjunto de Defensa, encargado de las operaciones en Afganistán). Paralelamente, Gerald Ford promueve al general de brigada William H. Craig, que dirigió los estudios preliminares de la operación Northwoods, director de la NSA (Agencia Nacional de Seguridad).

El general Layman L. Lemnitzer muere el 12 de noviembre de 1988.

En 1992 la opinión pública norteamericana se pregunta qué pasó con el asesinato del presidente Kennedy después de la difusión de una película de Oliver Stone que muestra las incoherencias de la versión oficial. El presidente Clinton ordena la desclasificación de muchos archivos del período Kennedy. Entre los papeles del secretario de Defensa Robert McNamara se encuentra la única copia que se ha conservado del proyecto Northwoods.

---

[10] William Reymond: *JFK, Autopsie d'un crime d'Etat*, Flammarion, 1998.

✳ ✳ ✳

Este precedente histórico nos recuerda que, desafortunadamente, no es imposible una conspiración estadounidense interna, que tenía previsto sacrificar a ciudadanos norteamericanos en el marco de una campaña terrorista. En 1962 John F. Kennedy resistió al desvarío de su Estado Mayor. Lo pagó probablemente con su vida. No sabemos cuál habría sido la reacción de George W. Bush si hubiese tenido que enfrentarse a la misma situación.

La historia inmediata de Estados Unidos nos muestra que el terrorismo interno es una práctica en desarrollo. Desde 1966 el FBI publica un informe anual sobre los actos de terrorismo interior:[11] 4 en 1995, 8 en 1996, 25 en 1997, 17 en 1998, 19 en 1999. Estos atentados fueron perpetrados mayoritariamente por grupos militares y paramilitares de extrema derecha.

✳ ✳ ✳

La declaración del teniente Delmart Edward Vreeland ante el Tribunal Superior de Toronto (Canadá)[12] añade cre-

---

[11] "Terrorism in United States, FBI". Se puede consultar en:
1996: http://www.fbi.gov/publications/terror/terroris.pdf;
1997: http://www.fbi.gov/publications/terror/terr97.pdf;
1998: http://www.fbi.gov/publications/terror/terror98.pdf;
1999: http://www.fbi.gov/publications/terror/terror99.pdf.

[12] Este tema ha sido objeto de cuatro artículos de Nick Pron en el *Toronto Star:* "Did This Man Predict Sept. 11?" (23 de octubre), "US Looks Into Inmate's Story, Jail Man Said He Tried to Warn About Attacks" (25 de octubre), "Plot to Murder Judge May Never Have Existed" (31 de octubre) y "Was Embassy Worker Poisoned?" (21 de enero de 2002). El tercer artículo también hace referencia a un testimonio en la preparación del asesinato de un magistrado. El cambio total de la policía en este otro asunto parece haber sido utilizado para intentar desacreditar a Vreeland. Por otra parte, Michael Ruppert, editor de *From The Wilderness,* que está en contacto con los abogados de Vreeland, dedicó varios artículos a este asunto en http://www.copvcia.com.

dibilidad a la existencia de una conspiración en el seno de las fuerzas armadas de Estados Unidos para perpetrar los atentados del 11 de septiembre.

Detenido por fraude con tarjeta de crédito, el teniente Vreeland se defendió alegando su pertenencia a los servicios secretos de la Marina estadounidense (Inteligencia Naval). Contó a la policía que había recopilado información en Rusia sobre el asesinato de Marc Bastien, un empleado numerario de la embajada de Canadá en Moscú, y sobre la preparación de los atentados en Nueva York. Después de comprobar que Marc Bastien no había sido asesinado, sino que había muerto al ingerir una sobredosis de antidepresivos cuando estaba en estado de ebriedad, la policía descartó las palabras de Vreeland, que equiparó a una lamentable defensa. Fue encarcelado.

El 12 de agosto de 2001 Vreeland entregó un sobre cerrado a la autoridad penitenciaria que contenía su declaración sobre los atentados futuros. Las autoridades canadienses no le dieron ninguna importancia. El 14 de septiembre abrieron el sobre y encontraron una descripción precisa de los atentados cometidos tres días antes en Nueva York. De inmediato se interrogó al Pentágono, pero la respuesta que se recibió era que Delmart "Mike" Vreeland había abandonado la Marina en 1986 debido a su limitada capacidad y que jamás había sido destinado a la Inteligencia Naval. El procurador federal descartó las afirmaciones de Vreeland exclamando ante el Tribunal Superior de Toronto: "¿Es posible esta historia? No puedo decir que sea imposible, sólo que no es plausible".

Primera repercusión: el médico forense, Line Duchesne, se retracta sobre las causas de la muerte del diplomático Marc Bastien y concluye que fue asesinado. Las palabras de Vreeland recuperan su credibilidad. Segunda repercusión: durante una audiencia pública del Tribunal Supremo de Toronto el 25 de enero de 2002: los abogados del teniente Vreeland, señores Rocco Galati y Paul Dlansky, llaman por un teléfono con altavoz a la centralita del Pentágono. Ante los magistrados que escuchan la conversación obtienen la confirmación de que su cliente estaba en servicio activo en la Marina. Además, cuando solicitan hablar con sus superiores, la operadora les comunica por una línea directa con Inteligencia Naval.

* * *

Por consiguiente estos atentados eran conocidos por cinco servicios de información (alemán, egipcio, francés, israelí y ruso), por un agente de la Inteligencia Naval, por autores anónimos de mensajes de alerta enviados a Odigo, sin hablar de los poseedores de información confidencial que especularon en Bolsa. ¿Hasta dónde llegaban las filtraciones? ¿Hasta dónde se extienden las implicaciones?

Bruce Hoffman, vicepresidente de la Rand Corporation, declaró durante su comparecencia en la Cámara de los Representantes que, por su magnitud, los atentados eran "inimaginables".[13] Es la opinión indiscutible del experto más cotizado. Con un presupuesto anual de 160 millones de dólares, la Rand Corporation[14] es el mayor centro privado de investigación en materia de estrategia y de organización militar del mundo.

Es la prestigiosa expresión del *lobby* militar e industrial norteamericano. Presidido por James Thomson, cuenta entre sus administradores con Ann McLaughin Korologos (ex presidenta del Institut Aspen) y Franck Carlucci (presidente

---

[13] Comparecencia del 26 de septiembre de 2001; se puede consultar en: http://www.rand.org/publications/CT/CT182/CT182.pdf.
[14] Sitio oficial de la Rand Corporation: http://www.rand.org.

del Carlyle Group). Condoleezza Rice y Donald Rumsfeld fueron administradores de esta mientras sus funciones oficiales se lo permitieron. Zalmay Khalilzad también fue su analista.

Pero Bruce Hoffman miente: en una conferencia publicada por la US Air Force Academy en marzo de 2001 (es decir seis meses antes de los atentados), consideraba precisamente el "inimaginable" guión del 11 de septiembre.[15] Dirigiéndose a un auditorio de oficiales superiores de la Fuerza Aérea estadounidense, indicaba que "intentamos preparar nuestras armas contra Al Qaeda, la organización —o quizás el movimiento— asociado a Bin Laden (...) Piensen por un momento lo que fue el atentado con bomba contra el World Trade Center en 1993. Ahora, observen que es posible derribar la Torre Norte sobre la Torre Sur y matar a 60.000 personas (...) Encontrarán otras armas, otras tácticas y otros medios para alcanzar sus blancos. Tienen un gran abanico de armas, entre las que se encuentran los aviones teledirigidos".

¿Qué visión de futuro, no?

* * *

Para calmar el entusiasmo bélico del Partido Republicano, los demócratas aceptaron, en la votación de la ley de finanzas de 2000, la constitución de una comisión de evaluación de la organización y la planificación de la seguridad de Estados Unidos en materia espacial. La comisión presentó su informe[16] el 11 de enero de 2001, algunos días antes de que

---

[15] "Twenty-First Century Terrorism, in The Terrorism Threat and US Government Response: Operational and Organizational Factors", US Air Force Academy, Institute for National Security Studies, marzo de 2001. El texto de Bruce Hoffman está disponible en http://www.usafa.af.mil/inss/foreword.html.

[16] *Report of the Commission to Assess U.S. National Security Space Management and Organization* (http://www.defenselink.mil/pubs/space20010111.html).

su presidente, el honorable Donald Rumsfeld, se convirtiera en secretario de Defensa de la Administración Bush y abandonara su sillón en el consejo de administración de la Rand Corporation. Ocho de sus doce miembros eran generales jubilados. Todos eran partidarios del "escudo antimisiles". De modo que los 32 días de trabajo de la comisión no se dedicaron a estudiar la situación, sino a buscar argumentos que justificaran *a posteriori* las convicciones comunes de sus miembros.

Para la "Comisión Rumsfeld", el espacio es un campo militar comparable a la tierra, el aire y el mar. Debe disponer de su propio ejército, equivalente al Ejército, la Fuerza Aérea y la Marina. Estados Unidos debe ocupar este campo e impedir que cualquier otra potencia se instale en él. Gracias a esta asimetría de medios, su supremacía militar será incontestable e ilimitada.

La Comisión Rumsfeld ha presentado diez propuestas:

1. El Ejército Espacial debe depender directamente del Presidente.

2. El Presidente debe tener a un consejero en materia espacial para que Estados Unidos explote lo mejor posible su ventaja.

3. Las distintas agencias de información deben estar coordinadas y subordinadas al Ejército Espacial en el seno del Consejo Nacional de Seguridad.

4. La utilización del Ejército Espacial, al ser a la vez una herramienta de información y un arma letal, presupone una coordinación del secretario de Defensa y los numerosos servicios de información; estos últimos bajo la autoridad única del director de la CIA.

5. El secretario de Defensa debe tener adjunto un subsecretario para el Espacio.

6. El comandante espacial debe ser distinto del comandante aéreo.

7. El Ejército Espacial debe poder utilizar los servicios de las demás armas.

8. La NRO (agencia de imaginería espacial) debe estar vinculada al subsecretario de la Fuerza Aérea.

9. El secretario de Defensa debe supervisar en persona las inversiones en investigación y desarrollo espacial, de modo que crezca la asimetría entre las fuerzas norteamericanas y las de las otras potencias militares.

10. Deben desbloquearse importantes recursos presupuestarios para el programa espacial militar.

Además de denunciar el tratado ABM de 1972, este ambicioso programa de militarización del espacio supone unas reformas en la organización y la estrategia norteamericanas que parecen irrealizables. Por ello, la Comisión Rumsfeld escribe: "La historia está llena de situaciones en las que se ignoraron las advertencias y se opuso resistencia a los cambios hasta que un acontecimiento exterior, juzgado hasta el momento 'improbable', forzó la mano de las burocráticas reticencias. La pregunta que se plantea es saber si Estados Unidos tendrá la sabiduría de actuar de un modo responsable y reducir lo antes posible su vulnerabilidad espacial. O bien si, como ya sucedió en el pasado, el único acontecimiento capaz de galvanizar las energías de la Nación y forzar al Gobierno de Estados Unidos a actuar, sea un ataque destructor contra el país y su población, un 'Pearl Harbor espacial'.

"Hemos sido alertados, pero no estamos en alerta."

Para Donald Rumsfeld y los generales de la Fuerza Aérea, los acontecimientos del 11 de septiembre constituyen en cierto modo una "divina sorpresa", según la expresión empleada por los fascistas franceses cuando la derrota les permitió derrocar "la Gueuse" y dar plenos poderes a Philippe Pétain.

El 11 de septiembre, a las 18.42, Donald Rumsfeld dio

una conferencia de prensa en el Pentágono.[17] Para manifestar la unidad de Norteamérica en ese difícil momento, los líderes demócratas y republicanos de la comisión senatorial de Defensa se habían unido a él. No se tenía noticia del presidente Bush y el mundo esperaba con inquietud la respuesta norteamericana. Con todo, en plena conferencia, en directo ante las cámaras de la prensa internacional, Donald Rumsfeld se enfrentó con el senador Carl Levin (demócrata, Michigan): "Usted, así como otros representantes demócratas en el Congreso, ha expresado el temor de no disponer de recursos suficientes para financiar el importante aumento de los presupuestos de Defensa solicitado por el Pentágono, especialmente la defensa antimisiles. Teme que se tenga que recurrir a fondos de la Seguridad Social para financiar este esfuerzo. ¿Este tipo de acontecimientos que se acaban de producir son suficientes para convencerse de que es urgente que este país aumente los gastos dedicados a su defensa y que, si es preciso, habrá que sacar fondos de la Seguridad Social para pagar los gastos militares? –¿El aumento de los gastos militares?–".

Un arrebato que podría interpretarse como una confesión.

[17] DoD News Briefing on Pentagon Attack; se puede consultar en: http://www.defenselink.mil/cgi-bin/dlprint.cgi.

Epílogo

Si el *lobby* energético es el primer beneficiario de la guerra de Afganistán, el *lobby* militar e industrial es el gran vencedor del 11 de septiembre. De ahora en adelante se colmarán sus esperanzas más alocadas.

Ante todo, el Tratado ABM, que establece los límites al desarrollo de armamento, ha sido unilateralmente denunciado por George W. Bush.

Por otra parte, no sólo el director de la CIA no fue destituido ante el aparente fracaso del 11 de septiembre, sino que de inmediato se aumentaron los créditos de la agencia en un 42% para llevar a cabo la "Matriz del ataque mundial".

El presupuesto militar de Estados Unidos, que no había dejado de disminuir desde la disolución de la Unión Soviética, conoce un incremento tan repentino como vertiginoso. Si se acumulan los créditos suplementarios entregados con urgencia después de los atentados y los aumentos presupuestarios previstos, en los dos primeros años de la presidencia de Bush se traducirán en un aumento del 24% de los gastos militares. En cinco años, el presupuesto del ejército de Estados Unidos será de más de 2.000 millones de dólares, cuando la carrera armamentista ha terminado y no tienen ningún enemigo importante. El presupuesto militar de Estados Unidos es a partir de ahora igual al total de los presupuestos de los 25 mayores ejércitos del mundo después de Estados Unidos (cf. Anexos).

Las partidas mejor dotadas son las que afectan al espacio y las operaciones secretas, lo que demuestra la nueva predominancia en el aparato de Estado norteamericano de la alianza entre los responsables de las operaciones secretas (reunidos en torno a George Tenet) y los partidarios del Ejército Espacial. Estos últimos están agrupados en torno a Donald Rumsfeld y el general Ralph E. Eberhart, actual comandante en jefe del NORAD y principal oficial superior que dirigió las operaciones de control aéreo del 11 de septiembre de 2001.

La evolución que ha seguido la Administración norteamericana tras los acontecimientos del 11 de septiembre parece anunciar mucha "sangre, sudor y lágrimas", de acuerdo con las palabras de Winston Churchill. Queda por saber ahora quién cargará con los gastos en el planeta.

París, 20 de febrero de 2002

Anexos
y
documentos

Nota de documentación del Departamento de Estado sobre Osama Bin Laden

Para justificar los bombardeos del 20 de agosto de 1998 en Afganistán y Sudán, el Departamento de Estado difundió una nota de documentación en la que describió la leyenda de Bin Laden.

"El 20 de agosto de 1998 el ejército de Estados Unidos atacó varias instalaciones de la red terrorista dirigida por Osama Bin Laden. En estos momentos, esta red dirige, financia e inspira una multitud de agrupaciones extremistas islámicas que cometen actos de terrorismo en todo el mundo.

"La red Bin Laden es multinacional y está presente en todo el mundo. Sus figuras de proa son también los dirigentes de alto rango de otras organizaciones terroristas, en especial las señaladas por el Departamento de Estado como organizaciones extranjeras terroristas, tales como Jamaa islamiya (Egipto) y la Jihad islámica (Egipto). Osama Bin Laden y su red quieren provocar una guerra entre el Islam y Occidente y derrocar los gobiernos musulmanes establecidos, como los de Egipto y Arabia Saudí.

"Nuestra decisión de atacar las instalaciones pertenecientes a la red de Osama Bin Laden son la consecuencia de

177

datos convincentes según los que su grupo, en colaboración con otros grupos de terroristas, es el causante de los odiosos atentados perpetrados el 7 de agosto contra las embajadas de Estados Unidos en Nairobi (Kenia) y Dar-es-Salaam (Tanzania). Miembros de la red de Osama Bin Laden también participaron, la semana pasada, en una conspiración que preveía la realización de otros atentados contra embajadas de Estados Unidos.

"Por otra parte, el 19 de agosto, un frente islámico creado por la red de Bin Laden y llamado Frente Islámico Mundial para la Guerra Santa contra los Judíos y los Cruzados, se felicitó por los atentados con bomba perpetrados contra nuestras embajadas y declaró: 'el futuro de Estados Unidos será sombrío (...) Serán atacados por todas partes, y surgirán grupos islámicos unos tras otros para luchar contra los intereses norteamericanos'. Los terribles atentados que tuvieron lugar en África no constituyen la primera vez en que miembros de la red de Osama Bin Laden se han entregado a actos de terrorismo contra Estados Unidos y sus aliados. La lista de este tipo de actos es larga:

"Conspiraron para matar en el Yemen a soldados norteamericanos que se disponían a participar en la operación de carácter humanitario realizada en Somalia en 1992.

"Tramaron el asesinato en Somalia de soldados norteamericanos y de soldados de otros países que se encontraban en ese país para distribuir víveres a los somalíes que sufrían hambre.

"La red de Osama Bin Laden ayudó a terroristas egipcios que intentaron asesinar al presidente Mubarak (Egipto) en 1995 y que mataron a decenas de turistas en Egipto en estos últimos años.

"La Jihad islámica (Egipto), que es uno de los principales grupos de esta red, cometió en 1995 un atentado contra la embajada de Egipto en Pakistán con un coche bomba. Este atentado causó la muerte de una veintena de egipcios y pakistaníes.

"Miembros de la red de Osama Bin Laden previeron hacer estallar aviones de compañías aéreas norteamericanas en el Pacífico y conspiraron separadamente para matar al Papa.

"Afiliados a esta red hicieron estallar una bomba en 1995 en los edificios de la misión norteamericana-saudí de entrenamiento militar situados en Riad (Arabia Saudí).

"La red de Osama Bin Laden dio a conocer en varias ocasiones su violento programa antinorteamericano:

"• en agosto de 1996, Osama Bin Laden difundió su 'declaración de guerra' contra Estados Unidos;

"• en febrero de 1998, declaró: 'matar a un soldado norteamericano es mejor que perder el tiempo haciendo otras cosas';

"• en febrero de 1998, el Frente Islámico Mundial para la Guerra Santa contra los Judíos y los Cruzados, que forma parte de la red de Osama Bin Laden, anunció su intención de atacar a los norteamericanos y a sus aliados, ya fueran militares o civiles, en todo el mundo.

"En mayo de 1998 Osama Bin Laden declaró, durante una conferencia de prensa que dio en Afganistán, que se verían los resultados de sus amenazas 'al cabo de algunas semanas'.

"La red de Osama Bin Laden

"Osama Bin Laden indicó que su objetivo es 'unir a todos los musulmanes y crear un gobierno que siga las reglas de los califas'. El único medio para lograrlo consiste, según él, en derrocar a casi todos los gobiernos de los países musulmanes, hacer desaparecer la influencia occidental de esos países y suprimir un día las fronteras entre Estados.

"Su red aporta un apoyo a terroristas en Afganistán, Bosnia, Chechenia, Tadjikistán, Somalia, Yemen, y ahora Kosovo. Entrena también a miembros de grupos terroristas de países tan variados como las Filipinas, Argelia y Eritrea.

"Datos varios

"Hijo menor de un rico empresario saudí, Osama Bin Laden creó una organización mundial en los años setenta para reclutar a terroristas musulmanes que desearan participar en la guerra contra los soviéticos en Afganistán. En 1988 creó una red especializada en el terrorismo y la subversión. En 1989 regresó a Arabia Saudí, pero por poco tiempo, ya que el gobierno saudí lo expulsó al año siguiente debido al apoyo que seguía prestando a los grupos terroristas. Tras la insistente presión de Estados Unidos y tras el intento de asesinato del presidente Mubarak, en el que estuvo implicado y del que fue cómplice el Gobierno sudanés, Sudán lo expulsó en 1996. No obstante conservó intereses financieros y considerables bienes en ese país."

La Guerra Santa
de Norteamérica

William S. Cohen

El 12 de septiembre de 2001, a partir del día siguiente de los atentados, el ex secretario de Defensa de Bill Clinton, William S. Cohen, pedía que se sustituyera la ideología de la "Guerra Fría contra el comunismo" por la de la "Guerra contra el terrorismo" en un artículo de opinión cuyo título era evocador: "La Guerra Santa de Norteamérica".[1] Este artículo, publicado en *The Washington Post*, representa anticipadamente la retórica política y religiosa de la cruzada que lanzará George W. Bush.

"El humo desaparece lentamente del cielo de Nueva York, Washington y del oeste de Pensilvania... sin embargo, esta mañana, muchos aspectos sobre los ataques terroristas de ayer siguen sumidos en una espesa niebla. Lo que está claro es que el pueblo norteamericano no se rendirá a los terroristas, y no podrá descansar hasta que los responsables comparezcan ante la justicia.

"El hecho de que estemos en una sociedad libre y que nuestra sociedad se renueve constantemente y quede refor-

---

[1] "American Holy War" por William S. Cohen, en *The Washington Post* del 12 de septiembre de 2001.

zada con personas de otros países y otras culturas hace de Norteamérica un país particularmente vulnerable a los que explotan esta apertura. El objetivo de los terroristas es hacer que Norteamérica se refugie —se retire del mundo y abandone sus ideales—. Pero Norteamérica no puede replegarse en una burbuja continental, aislada y cobijada de un mundo peligroso. Tenemos intereses globales, económicos, políticos o que exige nuestra seguridad, que obligan a que intervengamos activamente más allá de nuestras fronteras. Aunque nos apartemos de los asuntos del mundo, Norteamérica seguirá siendo un símbolo tal que esas personas, cuyas quejas los empujan a la violencia, seguirán apuntando a Estados Unidos en sus ataques.

”Demasiadas generaciones han pagado un alto precio por la defensa de nuestra libertad para que podamos permitirnos hoy en día apartarnos del mundo o bien abandonar algunos de nuestros valores. De hecho, Norteamérica debe embarcarse ahora en su propia Guerra Santa, no en una guerra animada por el odio y la sangre, sino una guerra llevada por nuestro compromiso en favor de la libertad, la tolerancia y la primacía del derecho. Y nuestro brazo debe estar armado con la voluntad de utilizar todos los medios a nuestra disposición para defender esos valores. Los terroristas no han ahorrado esfuerzos, tampoco nosotros limitaremos los nuestros.

”Ningún gobierno puede garantizar la total seguridad de sus ciudadanos, tanto en el exterior como en el interior del país. Pero ningún gobierno puede permitir que sus ciudadanos sean atacados impunemente, con el riesgo de perder la lealtad y la confianza de aquellos a los que se encarga de proteger.

”(...)

”Para ser eficaz, este esfuerzo necesitará una mayor cooperación internacional, una acrecentada actividad de información en el extranjero y una mejor recolección de datos por las fuerzas del orden en nuestro país. La información es el Poder y si se quiere mejorar el acceso a esos datos, es preciso que el pueblo norteamericano y sus representantes elegidos encuentren el equilibrio necesario entre la protección de la vida privada y la protección a secas. En el pasado fue difícil llevar a cabo un diálogo duradero, razonado y general sobre esta delicada cuestión. Pero cuanto antes iniciemos este diálogo, antes encontraremos el buen equilibrio. Un debate así suscitará graves preguntas sobre la intrusión del gobierno en nuestras vidas privadas, pero nuestras libertades individuales están mucho más amenazadas por el caos y la muerte que provocaría un ataque biológico, ataque contra el que no estamos suficientemente preparados, y las demandas de respuesta que seguirían a ese ataque. Los que utilizan el terror como arma se apoyan en toda manifestación de miedo o de debilidad de su adversario y las víctimas de los ataques no tienen otra elección que luchar o someterse. Todo nuestro pueblo, no sólo nuestros dirigentes, se ha rebelado contra el fascismo y luego contra el comunismo cuando estos amenazaban la libertad. Los norteamericanos no han salido vencedores del largo combate de la penumbra de la Guerra Fría para ahora dilapidar esta victoria en la guerra actual contra extremistas anónimos.

”Al igual que la guerra precedente, esta lucha no se ganará simplemente con una respuesta militar. Para vencer, el pueblo norteamericano deberá mostrar coraje, fe, unidad y determinación con el fin de poder resistir en el futuro.”

Comparecencia ante el Senado del general Myers

El general Richard Myers compareció ante la Comisión de las Fuerzas Armadas, en el Senado de Estados Unidos, el 13 de septiembre de 2001. Esta comparecencia, prevista desde hacía tiempo, tenía como objeto dar validez al nombramiento del general en el cargo de jefe de Estado Mayor Conjunto, sustituyendo al general Hugh Shelton. Teniendo en cuenta los acontecimientos ocurridos dos días antes, la comparecencia también valoró la respuesta militar a los atentados.

El general Myers se encontraba en la oficina del senador Cleland durante el ataque. Llegó tarde al Pentágono y entonces dirigió las operaciones desde el National Military Command Center, en calidad de jefe adjunto de Estado Mayor Conjunto, ya que su superior, el general Shelton, estaba en viaje a Bruselas.

En las declaraciones ante la Comisión, el general Myers se mostró incapaz de describir la respuesta militar a los atentados, haciendo pensar que no existió. Para completar o corregir esa comparecencia, el NORAD publicó posteriormente un comunicado en el que explicaba que unos cazas habían intentado interceptar a los tres aviones desviados hacia Nueva York y Washington.

Senador Carl Levin: ¿Fue contactado el departamento de Defensa por la FAA o el FBI o por cualquier otra agencia cuando los dos primeros aparatos desviados chocaron contra el World Trade Center, antes de que el Pentágono fuera alcanzado?

General Richard Myers: Señor, no tengo respuesta a esta pregunta. Puedo buscarla para agregarla a la publicación de esta comparecencia.

Levin: Gracias. El Departamento de Defensa tomó —o el Departamento de Defensa requirió que se tomaran— medidas contra un aparato en particular?

Myers: Señor, estábamos...

Levin: Y se tomaron medidas contra, por ejemplo, se hicieron declaraciones de que el aparato que se estrelló en Pensilvania fue abatido. Esos rumores siguen existiendo.

Myers: Señor Presidente, las Fuerzas Armadas no abatieron ningún aparato. Cuando se precisó la naturaleza de la amenaza, hicimos despegar a cazabombarderos, AWACS, aviones radar y aviones de suministro para empezar a posicionar órbitas en caso de que otros aparatos pirateados hubieran entrado en el sistema FAA. Pero nunca tuvimos que utilizar esa fuerza.

Levin: Esta orden que acaba de describir, fue dada antes o después de que el Pentágono fuera atacado? ¿Lo sabe?

Myers: Esta orden, por lo que sé, fue dada después de que el Pentágono fuera atacado.

(...)

Senador Bill Nelson: Sr. Presidente, si me permite, para que las cosas queden dichas. Cito la cronología de la CNN: a las 9.03 exactamente, el vuelo de United Airlines se estrelló contra la Torre Sur del World Trade Center; a las 9.43 el vuelo 77 de American Airlines impactó en el Pentágono. A las 10.10 el vuelo 93 de United Airlines se estrelló en Pensilvania.

Por consiguiente transcurrieron 40 minutos entre el ataque de la Segunda Torre y el choque en el Pentágono. Y pasó una hora y siete minutos hasta la explosión en Pensilvania.

Levin: Lo que no tenemos es el momento exacto en que el Pentágono fue informado, si lo fue, por la FAA, el FBI o cualquier otra agencia, de una amenaza potencial o de aviones que hubieran cambiado de dirección, o algo de este tipo. Y nos dirá lo mismo ya que...

Myers: Le puedo contestar a eso. En el momento del primer impacto en el World Trade Center, movilizamos a nuestro equipo de crisis. Eso se realizó de inmediato.

"Entonces lo movilizamos. Y empezamos a consultar a las agencias federales. La información que desconozco, es el momento en que el NORAD desplegó sus cazas. No conozco esa información.

Levin: Ni la que le he solicitado, es decir si la FAA o el FBI le había informado que otros aviones habían sido desviados de su vuelo, de su plan de vuelo, y volvían o se dirigían hacia Washington, si había habido la mínima señal por su parte, porque, en el caso contrario, es un fallo evidente.

Myers: Exacto.

Levin: Pero de todas formas... más importante: podría encontrar esta información, por favor.

Myers: Eso se produjo probablemente... Como debe recordar, yo no estaba en el Pentágono en ese momento, esta parte por tanto es un poco confusa, después de eso, recibimos notificaciones regulares a través del NORAD, de la FAA en el NORAD, sobre los otros vuelos que nos preocupaban. Y estábamos al corriente sobre el vuelo que se estrelló en Pensilvania. Una vez más, no sé si teníamos cazas persiguiendo a este avión. Debería...

Levin: Si pudiera encontrar estas precisiones de tiempo para nosotros y proporcionárnoslas. Ya sabemos que no las conoce.

Myers: Las encontraré.

Entrevista al vicepresidente Cheney

Invitado al programa *Meet the Press* (NBC)[1] el 16 de septiembre de 2001, el vicepresidente Cheney dio testimonio a los teleespectadores del modo en que vivió los acontecimientos del 11 de septiembre. Señalamos que el Servicio Secreto impuso su autoridad sobre el poder político. Señalamos también el rocambolesco episodio del avión sobrevolando Washington sin intervención de la defensa antiaérea.

Vicepresidente Cheney: Me quedé allí durante algunos minutos, siguiendo el desarrollo de las cosas por televisión, estábamos organizándonos para decidir qué había que hacer. Fue entonces cuando agentes del Servicio Secreto entraron y, en este tipo de circunstancias, no adoptan muchos modales. No te dicen "disculpe señor" o te piden educadamente que vayas con ellos. Sólo entraron, me dijeron "Señor, debemos marcharnos de inmediato", me tomaron y...

Tim Russert: ¿Literalmente lo tomaron y se lo llevaron?

Vicepresidente Cheney: Sí. De vez en cuando mis pies tocaban el suelo. Pero como son de mayor porte que yo me le-

---

[1] Texto íntegro de la entrevista en: http://stacks.msnbc.com/news/629714.asp.

vantaron entre ellos y me sacaron rápidamente, pasamos por un pasillo, bajamos unas escaleras, atravesamos puertas y descendimos aún más abajo hasta llegar a un refugio subterráneo debajo de la Casa Blanca. De hecho se trata de un pasillo cerrado por ambos lados. Allí me dijeron que habían recibido información de que un avión se dirigía a la Casa Blanca.

Tim Russert: Se trataba del vuelo 77, que despegó de Dulles.

Vicepresidente Cheney: Sí, ese avión resultó ser el vuelo 77. Había despegado de Dulles y se dirigía hacia el oeste en dirección a Ohio antes de caer bajo el control de los terroristas. Apagaron el transponedor, es la razón por la que los primeros datos hablaban de un avión que se habría estrellado en Ohio, cuando no era exactamente esto lo que pasó. Luego dieron media vuelta y tomaron dirección a Washington. A la vista de los datos que tenemos, se fueron directo a la Casa Blanca...

Tim Russert: ¿El avión llegó a la vista de la Casa Blanca?

Vicepresidente Cheney: No, no a la vista, pero se dirigía directamente a ella. El Servicio Secreto había establecido una línea directa con la FAA y la línea permanecía abierta desde que el World Trade Center fue...

Tim Russert: Seguían al avión con sus radares.

Vicepresidente Cheney: Y cuando entró en el perímetro de seguridad y parecía dirigirse hacia la Casa Blanca, entonces fue cuando los tipos me llevaron y me refugiaron en el sótano. Como sabe, el avión no alcanzó la Casa Blanca, cambió de dirección. Pensamos que dio la vuelta completa y que regresó para estrellarse contra el Pentágono. Por lo menos es lo que muestra el análisis del radar.

(...)

Vicepresidente Cheney: El Presidente estaba en el avión presidencial Air Force One. Hemos recibido una amenaza sobre el Air Force One, el Servicio Secreto fue el que nos la comunicó...

Tim Russert: Una amenaza contra el Air Force One que era creíble. Está seguro.

Vicepresidente Cheney: Sí, estoy seguro. Claro, podría tratarse de la obra de un bromista, pero visto lo que estaba sucediendo en ese momento, no había manera de saberlo. Creo que la amenaza era bastante creíble, suficiente para que el Servicio Secreto me informara de ello. Abandoné mi refugio subterráneo después de hablar con el Presidente, le pedí con insistencia que no regresara por el momento. Luego bajé al PEOC, el centro de mando presidencial en caso de crisis y le pregunté a Norman Mineta (...).

Los Estados que apoyan el terrorismo también deberían ser liquidados

Richard Perle

En un artículo de opinión, publicado en Londres por *The Daily Telegraph*[1] el 18 de septiembre de 2001, uno de los "halcones" de Washington, Richard Perle, denuncia la falta de combatividad de los aliados. Percibe una especie de "vichysmo" en la demanda de identificación demasiado precisa de la identidad de los terroristas y rechaza por adelantado la elección de algunas alianzas. A sus ojos, deben abatirse algunos Estados: no importa si están implicados en atentados o que también se hayan opuesto a Bin Laden y a los talibanes. Aquí, el calificativo de "terrorista" no designa a grupos con capacidad de una forma de acción militar, sino que estigmatiza a los enemigos de Estados Unidos. Ex secretario adjunto de Defensa de Ronald Reagan (durante el período de 1981 a 1987), Richard Perle es uno de los encargados del Center for Security Policy y editor del *Jerusalem Post*.

"Un cierto derrotismo *vichysta* inspira a los comentaristas británicos de la guerra actual contra el terrorismo.

[1] "State Sponsors of Terrorism Should Be Wiped Out, Too", por Richard Perle, en *The Daily Telegraph* del 18 de septiembre.

"Una multitud de eslóganes se repiten sin cesar, por ejemplo: 'No sabemos quién es el enemigo', 'No sabemos a quién tenemos que atacar', 'Incluso si supiéramos dónde encontrarlos, sólo provocaríamos más vocación de mártires', y por último 'Los condenados de la tierra (para recuperar el título del célebre panfleto anticolonialista de Franz Fanon) están tan desesperados que no dudan en sucumbir por su honor bajo el fuego del Gran Satán'.

"El secretario de Defensa de Estados Unidos, Sr. Donald Rumsfeld, y los demás miembros importantes del Gobierno tienen todos los fundamentos para afirmar que el Mundo Libre se enfrenta aquí a un nuevo tipo de guerra. Pero a pesar de la novedad, el contingente *vichysta* no tendría razón de concluir que Estados Unidos y sus aliados son impotentes.

"Aunque no conozcamos todavía los pormenores de las atrocidades cometidas la semana pasada, sabemos bastante para actuar, y para actuar de forma decisiva.

"La verdad es que la comunidad internacional no ha establecido un nuevo orden mundial en el que el apoyo estatal al terrorismo se situaría fuera de los límites aceptables. Sin el apoyo concreto que sólo los Estados pueden aportar —santuario, información, logística, entrenamiento, comunicaciones, capitales— la red de Bin Laden y sus semejantes sería apenas capaz de hacer estallar de vez en cuando un coche bomba. Privad a los terroristas de los despachos donde trabajan, privadlos de las inmensas infraestructuras sobre las que se apoyan, perseguidlos de modo de obligarlos todos los días a encontrar un nuevo escondite para dormir, y el alcance de sus actividades se reducirá singularmente.

"(...)

"Irán tiene sus razones para apoyar una acción militar contra el régimen de los talibanes en Afganistán. Pero nadie debería engañarse y ver en el apoyo iraní a esta empresa un compromiso iraní contra el terrorismo en general. Es imposible admitirlo en el seno de la coalición. Una alianza antiterrorista, para tener razonables posibilidades de éxito, estará compuesta por países respetuosos con las instituciones democráticas, la libertad individual y el carácter sagrado de la vida.

"Esta alianza no puede incluir a los países que reprimen a su propia población, violan los derechos fundamentales y desprecian los valores esenciales de la civilización occidental. Una colaboración es sin duda concebible, momentánea, puntual, para asegurarse una ventaja táctica inmediata, como lo entendió Churchill cuando se alió con la Unión Soviética para derrotar al nazismo. Pero ninguna coalición para derrotar el terrorismo puede incluir a un país que apruebe campañas de odio y denigración. Los países que toleran que se incite el asesinato de civiles —norteamericanos, británicos, israelíes u otros— no tienen ningún papel legítimo en la guerra contra el terrorismo.

"Algunos países pueden ser reticentes o imposibilitados de participar en una coalición que exija el respeto por los valores y las normas de la civilización occidentales. La fuente de su poder puede ser incompatible con una verdadera oposición al terrorismo. Estos países forman parte del problema, y no de la solución; no necesitamos su ayuda, y no sacaremos ningún provecho de su apoyo. Los países que refugian a los terroristas —que les proporcionan los medios para matar a civiles inocentes— deben ser destruidos ellos también.

"La guerra contra el terrorismo, es la guerra contra esos regímenes. No ganaremos la guerra contra el terror cazando a terroristas individuales, del mismo modo que la guerra contra la droga no puede ser ganada arrestando a los 'correos' en Heathrow.

"Son estas redes que envían a sus jóvenes a misiones suicidas, y sus patrocinadores, los que deben ser destruidos."

Un nuevo tipo de guerra

Donald Rumsfeld

Este artículo de opinión del secretario de Defensa apareció en *The New York Times* del 27 de septiembre de 2001.[1]

En este tipo de guerra que se presenta, las nociones de "civil" y "militar" desaparecen en beneficio de una sociedad en la que toda persona, sea cual sea, es susceptible de ser inculpada según el concepto de "guerra total" definido por Goebbels.

"El presidente Bush ha empezado a unir a la nación en torno a una guerra contra los terroristas que atacan nuestro modo de vida. Otros piensan que la primera víctima de toda guerra es la verdad. Pero en esta, la primera victoria debe ser decir la verdad. Y la verdad es que esta guerra no se parecerá a ninguna otra en la que hemos estado antes, hasta el punto de que es más fácil describir el guión futuro en función de lo que no será que de lo que será.

"Esta guerra no será una gran alianza unida con el único objeto de vencer un eje compuesto por potencias hostiles.

[1] "A New Kind of War", por Donald Rumsfeld, en *The New York Times* del 27 de septiembre de 2001.

Implicará de hecho coaliciones de países modificables, susceptibles de cambios y de evolución. Los distintos países tendrán papeles diferentes y una contribución diversa. Uno aportará apoyo diplomático, el otro apoyo militar o logístico. Algunos nos ayudarán públicamente, mientras que otros, según las circunstancias, lo harán en privado y en secreto. En esta coalición, la misión definirá la coalición y no al revés.

"Entendemos que países que consideramos como amigos podrían ayudarnos en algunas cosas, pero permanecer callados en otras, mientras que las otras medidas podrían depender de la participación de países que consideraríamos como menos que amigos.

"En este contexto, la decisión tomada por los Emiratos Árabes Unidos y Arabia Saudí —amigos de Estados Unidos— de romper sus relaciones con los talibanes es un primer éxito importante de nuestra campaña, pero no debe entenderse que percibirán su parte de toda acción que pudiéramos considerar.

"Esta guerra no será necesariamente del tipo de la que nos ocuparía completamente a analizar objetivos militares y concentrar fuerzas para alcanzarlos. La fuerza militar sólo será en realidad una de las numerosas herramientas que utilizaremos para hacer fracasar a las personas, los grupos y los países que se entregan al terrorismo.

"Nuestra reacción puede comportar lanzamientos de misiles de crucero hacia blancos militares en alguna parte del mundo; asimismo podemos lanzarnos en una lucha electrónica para despistar y detener las inversiones que intentan pasar por centros bancarios off-shore. Los trajes de los banqueros y las ropas raídas de los programadores constituirán los uniformes de este conflicto tanto como seguramente lo serán los trajes de camuflaje del desierto. [2]

"No se trata de una guerra contra una persona, un gru-

---

[2] Destacado por el autor.

po, una religión o un país. Nuestro adversario es una red mundial de organizaciones terroristas y los Estados que le dan apoyo, que se dedican a privar a los pueblos libres de la facultad de vivir como lo deseen. Así como podemos tomar medidas militares contra los Gobiernos extranjeros que apadrinan el terrorismo, también podemos aliarnos con los pueblos a los que oprimen esos Estados.

"Esta guerra será diferente incluso en el vocabulario. Cuando 'invadamos un territorio enemigo', este podría ser su espacio cibernético. Desembarcaremos sin duda menos en las playas de lo que desbarataremos estratagemas. Ya no es cuestión de 'estrategia de salida': se trata de un compromiso sostenido que no conlleva ningún límite temporal. Tampoco tenemos ninguna regla fija sobre el modo de desplegar nuestras tropas; estableceremos más bien directivas que nos dirán si la fuerza militar es el mejor medio para alcanzar tal o tal objetivo.

"El público asistirá quizás a algún compromiso militar espectacular que no producirá ninguna victoria aparente, por otra parte vivirá sin duda en la ignorancia de otras acciones que lleven a grandes victorias. Las 'batallas' serán las que los agentes de aduana que detengan a personas sospechosas libren en nuestras fronteras, y las de diplomáticos que logren obtener ayuda en el extranjero contra el blanqueo de dinero.

"Sin embargo, aunque se trate de un nuevo tipo de guerra, hay algo que no cambia: Norteamérica seguirá siendo indomable. La victoria será la de los norteamericanos, que vivirán su vida día tras día, yendo al trabajo, criando a sus hijos y construyendo sus sueños como lo han hecho siempre, un pueblo grande y libre."

Los presupuestos militares de los principales países

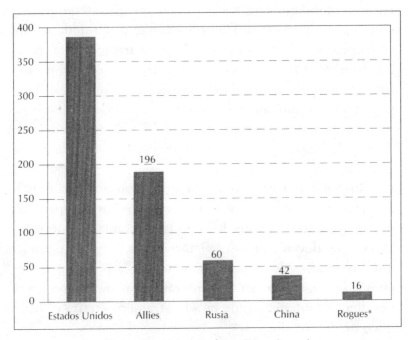

Fuente: http://www.cdi.org/issues/wme/

Las dos tablas (en miles de millones de dólares estadounidenses) muestran el peso aplastante del gasto militar norteamericano, superior al total de los veinticinco países siguientes.

(*) "Allies" comprende los países de la OTAN, Australia, Japón y Corea del Sur. "Rogues" ("Granujas") agrupa a Cuba, Irán, Irak, Libia, Corea del Norte, Sudán y Siria.

Estados Unidos	396
Rusia	60
China	42
Japón	40
Reino Unido	34
Arabia Saudí	27
Francia	25
Alemania	21
Brasil	17
India	15
Italia	15
Corea del Sur	11
Irán	9
Israel	9
Taiwán	8
Canadá	7
España	6
Australia	6
Países Bajos	5
Turquía	5
Singapur	4
Suecia	4
Emiratos Árabes Unidos	3
Polonia	3
Grecia	3
Argentina	3
Total sin Estados Unidos	**382**

(en miles de millones de dólares estadounidenses)

THE WHITE HOUSE

WASHINGTON

October 5, 2001

MEMORANDUM FOR THE SECRETARY OF STATE
THE SECRETARY OF THE TREASURY
THE SECRETARY OF DEFENSE
THE ATTORNEY GENERAL
THE DIRECTOR OF CENTRAL INTELLIGENCE
THE DIRECTOR OF FEDERAL BUREAU OF INVESTIGATION

SUBJECT: Disclosures to the Congress

As we wage our campaign to respond to the terrorist attacks against the United States on September 11, and to protect us from further acts of terrorism, I intend to continue to work closely with the Congress. Consistent with longstanding executive branch practice, this Administration will continue to work to inform the leadership of the Congress about the course of, and important developments in, our critical military, intelligence, and law enforcement operations. At the same time, we have an obligation to protect military operational security, intelligence sources and methods, and sensitive law enforcement investigations. Accordingly, your departments should adhere to the following procedures when providing briefings to the Congress relating to the information we have or the actions we plan to take:

(i) Only you or officers expressly designated by you may brief Members of Congress regarding classified or sensitive law enforcement information; and

(ii) The only Members of Congress whom you or your expressly designated officers may brief regarding classified or sensitive law enforcement information are the Speaker of the House, the House Minority Leader, the Senate Majority and Minority Leaders, and the Chairs and Ranking Members of the Intelligence Committees in the House and Senate.

This approach will best serve our shared goals of protecting American lives, maintaining the proper level of confidentiality for the success of our military, intelligence, and law enforcement operations, and keeping the leadership of the Congress appropriately informed about important developments. This morning, I informed the House and Senate leadership of this policy which shall remain in effect until you receive further notice from me.

(Traducción en las páginas siguientes.)

Casa Blanca
Washington
5 de octubre de 2001

Memorándum para
El secretario de Estado
El secretario del Tesoro
El secretario de Defensa
El fiscal general
El director de la CIA
El director del FBI

Objeto: Información al Congreso

A lo largo de la campaña que hemos iniciado para dar respuesta a las agresiones terroristas, que el 11 de septiembre apuntaron a Estados Unidos, para protegernos de nuevas acciones de terrorismo, tengo la intención de mantener una estrecha colaboración con el Congreso. Siguiendo una práctica ejecutiva constante, mi Gobierno informará a las instancias directivas del Congreso sobre el desarrollo de nuestras operaciones más significativas, así como sobre todos los hechos nuevos e importantes, en materia militar, de información o de policía. Sin embargo, nos incumbe también proteger la seguridad de las operaciones militares, las fuentes y los métodos de información, y el desarrollo de las investigaciones policiales sensibles. Desde ahora, sus departamentos se ajustarán a los siguientes procedimientos en sus exposiciones al Congreso cuando estas afecten a la información que poseemos o a las acciones que consideramos:

(i) Sólo ustedes, y los agentes que hayan sido designados a propósito, estarán habilitados para presentar a los Miembros del Congreso la información de carácter confidencial o relativa a las investigaciones policiales sensibles.

(ii) Los únicos Miembros del Congreso a quienes ustedes mismos, o los agentes que hayan sido designados para tal propósito, que estarán autorizados a presentar información de carácter confidencial o relativa a las investigaciones policiales sensibles, son el Speaker de la Cámara, el Líder de la Minoría de la Cámara, los Líderes de la Mayoría y de la Minoría en el Senado, y los miembros de las oficinas de las Comisiones Parlamentarias o de Control de Servicios de Información de la Cámara y del Senado.

Este acercamiento servirá del mejor modo posible a nuestros objetivos comunes de proteger las vidas de los norteamericanos, preservar un alto nivel de confidencialidad apropiado para garantizar el éxito de nuestras operaciones militares, de información y de policía, y velar por informar, de un modo adecuado, a las instancias dirigentes del Congreso sobre todos los nuevos elementos importantes. Esta mañana he informado a las instancias dirigentes de la Cámara y el Senado de esta política que estará vigente hasta nueva orden que proceda de mi persona.

George Bush

DEPUTY SECRETARY OF DEFENSE
1010 DEFENSE PENTAGON
WASHINGTON, DC 20301-1010

1 8 OCT 2001

MEMORANDUM FOR SECRETARIES OF THE MILITARY DEPARTMENTS
CHAIRMAN OF THE JOINT CHIEFS OF STAFF
UNDER SECRETARIES OF DEFENSE
DIRECTOR, DEFENSE RESEARCH AND ENGINEERING
ASSISTANT SECRETARIES OF DEFENSE
GENERAL COUNSEL OF THE DEPARTMENT OF DEFENSE
INSPECTOR GENERAL OF THE DEPARTMENT OF DEFENSE
DIRECTOR, OPERATIONAL TEST AND EVALUATION
ASSISTANTS TO THE SECRETARY OF DEFENSE
DIRECTOR, NET ASSESSMENT
DIRECTORS OF THE DEFENSE AGENCIES
DIRECTOR OF THE DOD FIELD ACTIVITIES

SUBJECT: Operations Security Throughout the Department of Defense

On 14 September the President declared a national emergency by reason of terrorist attacks and the continuing and immediate threat of further attacks on the United States. As this Department assists wide-ranging efforts to defeat international terrorism, it is clear that US military and civilian service lives, DOD operational capabilities, facilities and resources, and the security of information critical to the national security will remain at risk for an indefinite period.

It is therefore vital that Defense Department employees, as well as persons in other organizations that support DOD, exercise *great* caution in discussing information related to DOD work, regardless of their duties. Do not conduct *any* work-related conversations in common areas, public places, while commuting, or over unsecured electronic circuits. Classified information may be discussed *only* in authorized spaces and with persons having a specific need to know and the proper security clearance. Unclassified information may likewise require protection because it can often be compiled to reveal sensitive conclusions. Much of the information we use to conduct DOD's operations must be withheld from public release because of its sensitivity. If in doubt, do not release or discuss official information except with other DoD personnel.

All major components in this Department to include the Office of the Secretary of Defense, the Military Departments, the Joint Staff, the Combatant Commands, the Defense Agencies, the DOD Field Activities and all other organizational entities within the DOD will review the Operations Security (OPSEC) Program, described in DOD Directive 5205.2, and ensure that their policies, procedures and personnel are in compliance. We must ensure that we deny our adversaries the information essential for them to plan, prepare or conduct further terrorist or related hostile operations against the United States and this Department.

Paul Wolfowit

(Traducción en las páginas siguientes.)

205

El secretario adjunto de Defensa
1010 Defense Pentagon
Washington, DC 20301-11

Memorándum para
Los secretarios de los departamentos militares
El jefe de Estado Mayor Conjunto
El subsecretario de Defensa
El director de Investigación y Desarrollo de Defensa
El consejero general de Defensa
El inspector general del Departamento de Defensa
El director de Ensayos y Evaluaciones
El asistente del secretario de Defensa
Los directores de las Agencias de Defensa
El director de los Escenarios de Actividades de Defensa

Objeto: Seguridad de las operaciones en todos los sectores
del Departamento de Defensa

El 14 de septiembre el Presidente declaró el estado de emergencia nacional debido tanto a los ataques terroristas como a la persistente e inmediata amenaza de nuevos ataques contra Estados Unidos. Nuestro Departamento se encuentra implicado en los distintos esfuerzos que apuntan a vencer el terrorismo internacional: por consiguiente es evidente que las vidas de nuestros compatriotas en las instituciones militares y civiles, la capacidad, las infraestructuras y los recursos operativos del Departamento de Defensa y, por último, la seguridad de los datos esenciales para la seguridad nacional, estarán expuestos a un peligro durante un período indeterminado.

Por consiguiente es vital que los agentes del Departamento de Defensa (DOD), al igual que las personas que procedan de otras organizaciones y colaboren con el DOD, tengan una gran prudencia en sus discusiones sobre las actividades del DOD, y sus responsabilidades. No mantenga ninguna conversación relativa a sus actividades profesionales en espacios abiertos, en lugares públicos, en sus desplazamientos del domicilio al trabajo o viceversa, o incluso por medios de comunicación electrónico no seguros. La información de carácter confidencial será abordada exclusivamente en los lugares previstos al efecto, y con las personas que dispongan a la vez de una razón específica para acceder a la información y de una habilitación de seguridad *ad hoc*. La información no confidencial puede tener que ser objeto de una protección idéntica, ya que puede ser recuperada y llevar a conclusiones de carácter sensible. La mayor parte de la información utilizada en el marco de las misiones del DOD será sustraída del dominio público en razón de su carácter sensible. En caso de duda, absténgase de difundir o discutir los datos oficiales, salvo en el seno del DOD.

Los principales órganos de este departamento, incluido el gabinete del secretario de Defensa, los Departamentos Militares, el Estado Mayor Conjunto, los mandos operativos, las Agencias de Defensa, el DOD en los escenarios de operación, y todas las demás unidades del DOD se referirán al Programa de Seguridad de Operaciones (OPSEC), descripto en la Directiva 5205.2 del DOD y velarán para que sus políticas, procedimientos y personales se ajusten a estas. Debemos asegurarnos de que nuestros adversarios están privados de la información indispensable para la planificación, la preparación o el establecimiento de nuevas acciones terroristas o de acciones hostiles conexas, que apuntan a Estados Unidos y a este Departamento.

Paul Wolfowitz

Discurso de Laura Bush
a la Nación

El 17 de noviembre de 2001 la esposa de George W. Bush, Laura, se digirió a la nación norteamericana en un mensaje transmitido por radio. Según la "primera dama", la campaña militar en Afganistán no tiene como objeto construir un oleoducto, sino defender los derechos de las mujeres y los niños afganos.

"Buenos días.

"Soy Laura Bush y soy yo quien les habla esta semana con el fin de lanzar una campaña mundial que atraiga la atención sobre la brutalidad para con las mujeres y los niños de la red terrorista Al Qaeda y el régimen talibán que lo apoya en Afganistán. En muchas regiones del país, este régimen está actualmente replegándose, y los afganos, en particular las mujeres, se alegran por ello. Las afganas saben, por su difícil experiencia, lo que el resto del mundo está descubriendo: la brutal opresión a las mujeres es el objetivo central de los terroristas.

"La vida de los niños y las mujeres se volvió insoportable debido a los talibanes y sus aliados terroristas, mucho antes de que se desencadenara la guerra actual. Un 70% de los afganos están desnutridos. Debido a la falta de cuidados médicos, un niño de cada cuatro no superará la edad de cinco años. Las mujeres no tenían el derecho de consultar a un médico cuando estaban enfermas.

"La vida bajo el régimen talibán era tan difícil y tan reprimida que incluso las expresiones de alegría más anodinas estaban prohibidas: los niños no tenían derecho a jugar con barriletes; sus madres eran golpeadas si se reían demasiado fuerte. Las mujeres no podían trabajar fuera de su hogar. Ni siquiera estaban autorizadas a salir solas.

"Esta brutal represión de las mujeres en Afganistán no tiene nada que ver con una práctica religiosa legítima. Los musulmanes de todo el mundo han condenado esta innoble esclavización de las mujeres y los niños por el régimen talibán. La pobreza, la mala salud y el analfabetismo a los que los terroristas y los talibanes redujeron a las afganas no se condicen con el trato que se da a las mujeres en la mayor parte del mundo islámico, donde las mujeres hacen importantes contribuciones a la sociedad. Los terroristas y los talibanes son los únicos que prohíben la educación de las mujeres. El terrorismo y los talibanes son los únicos que amenazan con arrancar las uñas a las mujeres que se las pinten. El sufrimiento de las mujeres y los niños de Afganistán es el resultado de la crueldad deliberada de los que buscan intimidar y dominar.

"Los pueblos civilizados de todo el mundo están horrorizados, no sólo por el sufrimiento de las mujeres y los niños en Afganistán, sino también porque la situación en ese país muestra lo que los terroristas querrían imponernos a todos.

"Todos tenemos el deber de rebelarnos contra esto. Ciertamente venimos de horizontes diferentes y profesamos distintas religiones, pero todos los padres del mundo aman a sus hijos. Respetamos a nuestras madres, nuestras hermanas y nuestras hijas. La lucha contra la brutalidad hacia las mujeres y los niños no es la expresión de una cultura particular; procede del reconocimiento de nuestra común humanidad y del compromiso de la gente de buena voluntad de todos los continentes.

"Debido a nuestros recientes éxitos militares en Afganistán, las mujeres ya no están encarceladas en sus casas. Pueden escuchar música e instruir a sus hijas sin temor a un castigo. Sin embargo, los terroristas que ayudaron a dirigir ese país completan y urden planes en muchos países. Es preciso detenerlos. La lucha contra el terrorismo pasa por la lucha por los derechos y la dignidad de las mujeres.

"En Norteamérica, celebraremos la semana próxima el día de Acción de Gracias. A la luz de los acontecimientos ocurridos en estos últimos meses, nos acercaremos aún más que de costumbre a nuestras familias. Estaremos particularmente agradecidos por todos los favores de los que gozamos en Norteamérica. Espero que los norteamericanos se unan a nuestra familia con el fin de garantizar que las mujeres y los niños de Afganistán vivan de nuevo con dignidad y tengan la posibilidad de aprovechar las oportunidades de la vida. Les deseo felices fiestas y les agradezco haberme escuchado."

Laura Bush dirigiéndose a la nación. Fuente: Casa Blanca
www.whitehouse.gov/news/releases/2001/11/images/20011117-2.html

La justicia marcial, integral y equitativa

Alberto Gonzales

En un artículo de opinión publicado el 30 de noviembre por *The New York Times*,[1] Alberto Gonzales, consejero jurídico de George W. Bush, defiende el decreto presidencial que crea las comisiones militares, que él mismo redactó.

"Al igual que otros presidentes antes que él, el presidente Bush invocó su poder para crear las comisiones militares encargadas de juzgar a enemigos que cometen crímenes de guerra. Cuando las circunstancias lo exigen, estas comisiones ofrecen importantes ventajas respecto a los tribunales civiles. Ahorran a los jurados, jueces y tribunales norteamericanos los graves riesgos que provocan los procesos a terroristas. Permiten al Gobierno utilizar información secreta como elemento de prueba sin comprometer los servicios de información o las fuerzas armadas. Pueden administrar justicia rápidamente, cerca de las zonas donde luchan nuestras fuerzas, sin tener que dedicar años a los procedimientos anteriores en el proceso o los recursos que siguen a los procesos.

[1] "Martial Justice, Full and Fair", por Alberto Gonzales, en *The New York Times* del 30 de noviembre de 2001.

213

"También pueden tener en cuenta una multitud de elementos de prueba pertinentes para tomar su decisión. Por ejemplo, las circunstancias en una zona de guerra a menudo hacen imposible que se satisfagan las condiciones exigidas para la autentificación de los documentos ante un tribunal civil, mientras que los documentos procedentes de las guaridas de la red Al Qaeda en Kabul pueden ser esenciales para poder decidir si los miembros de las células de esta red que se esconden en Occidente son verdaderamente culpables.

"Algunos parlamentarios y algunos libertarios permanecen escépticos ante el tema de las comisiones militares. Sus críticas, aunque bien intencionadas, son erróneas y se basan en una falsa idea de lo que prevé el decreto del Presidente y su aplicación.

"El decreto afecta únicamente a los criminales de guerra enemigos extranjeros; no se aplica a los ciudadanos de Estados Unidos o incluso a soldados enemigos que respeten el derecho de guerra. En virtud de ese decreto, el Presidente sólo puede diferir a esas comisiones militares a ciudadanos extranjeros que son miembros de Al Qaeda o de otras organizaciones terroristas internacionales que apuntan a Estados Unidos o que los apoyan activamente. El Presidente debe decidir si es por interés de Estados Unidos que esas personas serán juzgadas por una comisión militar, y estas deben ser acusadas de actos contrarios al derecho internacional de la guerra, tales como el hecho de atacar a civiles, de esconderse entre la población civil o de rechazar llevar armas abiertamente. Los criminales de guerra enemigos no tienen derecho a recibir la misma protección en un procedimiento que las personas que no respetan nuestro derecho nacional.

"Los procesos judiciales ante comisiones militares no son secretos. El decreto del Presidente autoriza al ministro de Defensa a prever audiencias a puerta cerrada para proteger informaciones secretas. No exige que un proceso judicial cualquiera, o incluso ciertas partes del proceso, tengan lugar en secreto. Los procesos judiciales ante las comisiones militares serán abiertos al público siempre que sea posible, en la medida en que eso sea compatible con las necesidades apremiantes de la seguridad nacional. El fantasma de una multitud de procesos judiciales secretos, tal como lo han descripto algunas críticas, no constituye una imagen exacta del decreto o de la intención del presidente.

"El decreto exige precisamente que todo proceso ante una comisión militar sea íntegro y equitativo. Toda persona juzgada ante una comisión militar tendrá conocimiento de las acusaciones que se le imputan, estará representada por un abogado competente y estará autorizada a presentar su defensa. El sistema judicial militar de Estados Unidos es el mejor del mundo. Es conocido por su tradición, que consiste en prohibir toda influencia del mando sobre el desarrollo del proceso, proporcionar abogados competentes y con celo para la defensa y demostrar equidad. Durante la Segunda Guerra Mundial, algunas comisiones militares incluso absolvieron a algunos acusados alemanes y japoneses. Decir que esas comisiones ofrecerán sólo una parodia de justicia como la de los regímenes dictatoriales constituye un insulto a nuestro sistema judicial militar.

"El decreto mantiene la posibilidad de ejercer un control judicial por un tribunal civil. En virtud de ese decreto, toda persona detenida, encarcelada o juzgada en Estados Unidos por una comisión militar podrá contestar la competencia de esta comisión sometiendo una demanda de 'habeas corpus' a un tribunal federal. La redacción del decreto es parecida a la del decreto sobre tribunales militares que promulgó el presidente Franklin Roosevelt y que el Tribunal Supremo interpretó que permitía el control judicial mediante una demanda de 'habeas corpus'.

"Las comisiones militares se forman de acuerdo con las tradiciones históricas y constitucionales de Estados Unidos. Una comisión militar juzgó a agentes confederados que se habían disfrazado de civiles para ir a Nueva York y prenderle fuego. Otras comisiones militares juzgaron a saboteadores nazis disfrazados de civiles que habían desembarcado en Long Island (isla situada cerca de Nueva York) durante la Segunda Guerra Mundial, con la intención de atacar fábricas de armamento norteamericanas. El Tribunal Supremo ha considerado regularmente que el recurso a tales comisiones estaba de acuerdo con la ley.

"Las comisiones militares no pueden afectar los valores constitucionales de las libertades públicas o de la separación de poderes; los protegen garantizando que Estados Unidos pueda ir a la guerra contra enemigos exteriores y vencerlos. Con el fin de defender nuestro país, el presidente Bush busca por este concepto emplear todos los medios lícitos que están a su disposición. Las comisiones militares constituyen uno de esos medios, y su instauración permitirá mantener la seguridad y la libertad de los norteamericanos."

La lista de los 19 kamikazes publicada por el FBI

**Vuelo 11 de American Airlines
(estrellado contra la Torre Norte del World Trade Center)**

1) Satam M.A. Al Suqami
   probablemente ciudadano saudí;
   fecha de nacimiento utilizada: 28 de junio de 1976;
   última dirección conocida: Emiratos Árabes Unidos...

2) Waleed M. Alshehri
   probablemente ciudadano saudí;
   fechas de nacimiento utilizadas: 13 de septiembre de
   1974, 3 de marzo de 1976, 8 de julio de 1977, 20 de
   diciembre de 1978, 11 de mayo de 1979, 5 de noviembre de 1979;
   domiciliado en Hollywood[1] (Florida), Orlando (Florida), Dayton Beach (Florida);
   prestigioso piloto aéreo.

---

[1] Se trata de Hollywood en Florida, y no del barrio de Hollywood en Los Ángeles (California), que abriga los grandes estudios de cine.

3) Wail M. Alshehri
   fecha de nacimiento utilizada: 1 de septiembre de
   1968;
   domiciliado en Hollywood (Florida) y Newton (Massa-
   chusetts);
   prestigioso piloto aéreo.

4) Mohamed Atta
   probablemente ciudadano egipcio;
   fecha de nacimiento utilizada: 1 de septiembre de 1968;
   domiciliado en Hollywood (Florida), Coral Springs
   (Florida) y Hamburgo (Alemania);
   prestigioso piloto aéreo;
   alias Mehan Atta, Mohammad Al Amir, Muhammad
   Atta, Mohamed El Sayed, Mohamed Elsayed, Muhammad Muhammad Al Amir Awag Al Sayyid Atta,
   Muhammad Muhammad Al Amir Awad Al Sayad.

5) Abdulaziz Alomari
   probablemente ciudadano saudí;
   fechas de nacimiento utilizadas: 24 de diciembre de
   1972 y 28 de mayo de 1979;
   domiciliado en Hollywood (Florida);
   Prestigioso piloto aéreo.

Vuelo 175 de United Airlines (estrellado contra la Torre Sur del World Trade Center)

1) Marwan Al Shehhi
   fecha de nacimiento utilizada: 9 de mayo de 1978;
   domiciliado en Hollywood (Florida);
   prestigioso piloto aéreo;
   alias Marwan Yusif Muhammad Rashid Al Shehi, Marwan

Yusif Muhammad Rashid Lakrab Al Shihhi, Abu Abdullah.

2) Fayez Rashid Ahmed Hassan Al Qadi Banihammad
domiciliado en Delray Beach (Florida)
alias Fayez Ahmad, Banihammad Fayez Abu Dhabi Banihammad, Fayez Rashid Ahmed, Banihammad Fayez, Rasid Ahmed Hassen Alqadi, Abu Dhabi Banihammad, Ahmed Fayez, Faez Ahmed

3) Ahmed Alghamdialias Ahmed Salah Alghamdi

4) Hamza Alghamdi
domiciliado en Delray Beach (Florida);
alias Hamza Al Ghamdi, Hamza Ghamdi, Hamzah Alghamdi, Hamza Alghamdi Saleh.

5) Mohand Alshehri
domiciliado en Delray Beach (Florida);
alias Mohamed Alshehhi, Mohamd Alshehri, Mohald Alshehri.

Vuelo 77 de Américan Airlines (estrellado contra el Pentágono)

1) Khalid Almihdhar
probablemente ciudadano saudí;
domiciliado en San Diego (California) y Nueva York;
alias Sannan Al Makki, Khalid Bin Muhammad, Addallah Al Mihdhar, Khalid Mohammad Al Saqaf.

2) Majed Moqed
probablemente ciudadano saudí;

alias Majed M.GH Moqed, Majed Moqed, Majed Mashaan Moqed.

3) Nawaf Alhazmi
probablemente ciudadano saudí;
domiciliado en Fort Lee (New Jersey), Wayne (New Jersey) y San Diego (California);
alias Nawaf Al Hazmi, Nawaf Al Hazmi, Nawaf M. S. Al Hazmi.

4) Salem Alhazmi
probablemente ciudadano saudí;
domiciliado en Fort Lee (New Jersey) y Wayne (New Jersey).

5) Hani Hanjour
domiciliado en Phoenix (Arizona) y San Diego (California);
alias Hani Saleh Hanjour, Hani Saleh, Hani Hanjour, Hani Saleh H. Hanjour.

Vuelo 93 de United Airlines
(estalló en vuelo sobre Stony Creek Township)

1) Saeed Alghamdi
domiciliado en Dellray Beach (Florida);
alias Abdul Rahman Saed Alghamdi, Ali S Alghamdi, Al Gamdi; Saad M.S. Al Ghamdi, Sadda Al Ghamdi, Saheed Al Ghamdi, Seed Al Ghamdi.

2) Ahmed Ibrahim A. Al Haznawi
probablemente ciudadano saudí;
fecha de nacimiento utilizada: 11 de octubre de 1980

domiciliado en Dellray Beach (Florida);
alias Ahmed Alhaznawi.

3) Ahmed Alnami
domiciliado en Delray Beach (Florida);
alias Ali Ahmed Alnami, Ahmed A. Al Nami, Ahmed Al
Nawi.

4) Ziad Samir Jarrah
prestigioso piloto aéreo;
alias Zaid Jarrahi, Zaid Samr Jarrah, Ziad S. Jarrah, Ziad
Jarrah Jarrat, Ziad Samir Jarrahi.

Transcripción de la cinta de video de Osama Bin Laden publicada por el Departamento de Defensa

Nota preliminar

El Departamento de Defensa difundió una cinta de video del jefe de la red Al Qaeda, Osama Bin Laden, en la que este habla de los ataques terroristas lanzados el 11 de septiembre contra el World Trade Center y el Pentágono, durante la visita de un jeque desconocido que tuvo lugar a mediados de noviembre en Kandahar (Afganistán).

La cinta de video y la traducción de su contenido al inglés han sido hechos públicos el 13 de diciembre en Washington. La cinta, cuya calidad es mediocre, muestra a Osama Bin Laden hablando de la devastación causada por los aviones de línea que chocaron contra las Torres Gemelas del World Trade Center.

"Calculamos con antelación –dijo– el número de víctimas del enemigo que perecerían, en función del emplazamiento de la torre. Calculamos que las plantas que fueran afectadas serían tres o cuatro. Yo era el más optimista.

"[inaudible] debido a mi experiencia en este campo, pensaba que el incendio causado por el combustible del avión haría que la estructura metálica del edificio se fundie-

ra y que haría que se desplomara la parte afectada y únicamente las plantas situadas por encima. Eso era todo lo que
esperábamos."

Por otra parte, el Sr. Bin Laden explica que los terroristas de Al Qaeda que ejecutaron los ataques del 11 de septiembre habrían sido informados, durante su partida a Estados Unidos, de que iban a participar en una misión que los
convertiría en mártires, pero que no habían recibido instrucciones sobre los detalles de la operación hasta poco antes de embarcarse en los aviones ese día. Precisa que los terroristas que pilotaban los aviones no conocían a los demás
terroristas que estaban con ellos.

En la nota que acompaña la transcripción, el Departamento de Defensa precisa que las fuerzas norteamericanas
descubrieron esta cinta de video a finales de noviembre, en
Jalalabad (Afganistán). En un documento anexo titulado
"Preguntas varias", el Departamento de Defensa indica que
puede ser que alguien olvidara esta cinta por descuido porque tuvo que salir precipitadamente o que la habían dejado
allí a propósito.

La transcripción en árabe y la traducción al inglés de la
grabación de video fueron efectuadas por dos traductores
independientes. Sus versiones se compararon posteriormente con las realizadas por traductores de la administración federal y no mostraron ninguna incoherencia.

A continuación se encuentra la versión española de la
transcripción que fue traducida primero al inglés.

Transcripción de la grabación de video
de Osama Bin Laden

[A mediados de noviembre, Osama Bin Laden habló ante sus partidarios, en la sala de un edificio situado probable-

mente en Kandahar (Afganistán). Sus declaraciones fueron grabadas con su consentimiento y con el de las personas presentes.

La grabación de video dura aproximadamente una hora y está compuesta por tres partes: la visita de varias personas al lugar donde ha caído un helicóptero norteamericano en la provincia de Ghazni (aproximadamente doce minutos), y dos partes dedicadas a la visita que Osama Bin Laden y sus acólitos hicieron a un jeque desconocido, cuyos miembros inferiores parecen paralizados. Al parecer esta visita tuvo lugar en una pensión familiar de Kandahar. La secuencia de los acontecimientos está invertida en la cinta de video: el final de la visita de Osama Bin Laden se encuentra al principio de la grabación, la visita al lugar del helicóptero está en el medio y el principio de la visita de Osama Bin Laden empieza aproximadamente 39 minutos después del principio de la cinta de video. La transcripción fue realizada en el orden cronológico normal.

Debido a la calidad de la cinta de video, no se trata de una transcripción literal de todas las palabras expresadas durante esta reunión, sino que transmite los mensajes y la información dada.]

Primera parte de la visita de Osama Bin Laden, grabada 39 minutos después del principio de la cinta de video

(Principio de la transcripción)

"*Jeque:* [inaudible] Usted nos ha dado armas, nos ha dado esperanza; damos gracias a Alá por usted. No queremos robarle mucho tiempo, pero este es el acuerdo de los hermanos. Ahora la gente nos está apoyando más, incluso los que no nos respaldaban en el pasado. Yo no quiero robarle mucho tiempo. Alabamos a Alá, alabamos a Alá. Venimos de Kabul. Nos complace mucho visitarlo. Que Alá le bendiga en su casa y en el campamento. Le hemos pedido al conductor que nos lleve, era una noche de luna llena, alabado sea Alá. Créame que no es en el campo. Los ancianos (...) todo el mundo alaba lo que usted hizo, la gran acción que hizo, que fue antes que nada por la gracia de Alá. Es la guía de Alá y el bendito fruto de la Jihad.

Bin Laden: Alabado sea Alá. ¿Cuál es la situación de las mezquitas allí [en Arabia Saudí]?

Jeque: Sinceramente, es muy positiva. Jeque Al Barhani [transcripción fonética] pronunció un buen sermón en su clase después de la oración de la tarde. La grabaron en video y yo tenía que haberla traído conmigo, pero por desgracia tuve que salir precipitadamente.

Bin Laden: ¿El día de los acontecimientos?

Jeque: A la hora exacta de los ataques contra Norteamérica, precisamente a esa hora. Él [Bahrani] pronunció un sermón impresionante. Gracias sean dadas a Alá por sus bendiciones. Él [Bahrani] fue el primero que escribió en tiempos de guerra. Lo visité dos veces en Al Qasim.

Bin Laden: Alabado sea Alá.

Jeque: Eso es lo que yo le rogué a Alá. Él [Bahrani] dijo a los jóvenes: "Estáis pidiendo el martirio y os preguntáis dónde iréis [para convertiros en mártires]". Alá los incitaba a ir. Rogué a Alá que me concediera la posibilidad de prestar testimonio ante el gobernante injusto. Le pedimos a Alá que lo protegiera y lo convirtiera en mártir, después de promulgar la primera fatwa [decreto religioso]. Como sabe, lo detuvieron para interrogarlo. Cuando lo llamaron y le pidieron que firmara, les dijo: "No me hagáis perder el tiempo, tengo otra fatwa [decreto]. Si me queréis, puedo firmar las dos a la vez".

Bin Laden: Alabado sea Alá.

Jeque: Su actitud es en verdad muy alentadora. Cuando lo visité por primera vez hace año y medio, me preguntó: "¿Cómo está el jeque Bin Laden?". Le manda recuerdos especiales. En cuanto al jeque Suleimán Ulwan, promulgó una hermosa fatwa, que Alá lo bendiga. Milagrosamente lo oí en la emisora de radio del Corán. Era extraño porque él [Ulwan] sacrificó su cargo, que equivale al de un director. Está transcripto palabra por palabra. Los hermanos lo escucharon en detalle. Lo oí brevemente antes de la oración del mediodía. Él [Ulwan] dijo que era la Jihad y que aquellas personas no eran personas inocentes (las víctimas del World Trade Center y del Pentágono). Lo juró ante Alá. Esto fue comunicado al jeque Suleimán Al (Omar). Que Alá lo bendiga.

Bin Laden: ¿Y qué hay con el jeque Al [Rayan]?

Jeque: Sinceramente, no lo he visto. Mis movimientos estaban muy limitados.

Bin Laden: Alá lo bendiga a usted, sea bienvenido.

Jeque: [Describiendo el viaje que ha hecho para asistir a la reunión.] Nos hicieron entrar clandestinamente y pensé que estaríamos en distintas cuevas en el interior de las montañas, de modo que me quedé sorprendido al ver esta pensión y lo limpia y cómoda que es. Alabado sea Alá, también nos enteramos de que este lugar es seguro, por la gracia de Alá. El lugar está limpio y estamos muy cómodos.

Bin Laden: [inaudible] cuando la gente ve un caballo fuerte y otro débil, elige de forma natural al fuerte. Este es un único objetivo: los que quieren que la gente rece al Señor, sin seguir esa doctrina, seguirán la doctrina de Mahoma, la paz sea con él.

[Osama Bin Laden cita varios versículos cortos e incompletos del Hadiz (tradiciones sobre Mahoma).]

Bin Laden: Los jóvenes que llevaron a cabo las operaciones no aceptaron ningún fiqh (jurisprudencia islámica) en términos populares, sino que aceptaron el fiqh que trajo el profeta Mahoma. Esos jóvenes [inaudible] hicieron, con sus acciones en Nueva York y en Washington, un discurso que eclipsó todos los discursos que alguien haya podido pronunciar en cualquier lugar del mundo. Estos discursos son los que entienden tanto los árabes como los no árabes, hasta los chinos. Esto es sobre todo lo que dijeron los medios de comunicación. Algunos de ellos dijeron que en Holanda, en uno de los centros [islámicos], el número de personas que abrazaron el Islam en los días que siguieron a las operaciones superó al de las que lo abrazaron en los últimos once años. En la radio islámica oí decir a alguien que tiene una escuela en Norteamérica: "No tenemos tiempo para hacer frente a la demanda de libros islámicos por parte de gente que quiere informarse sobre el islam". Este acontecimiento hizo que la gente pensara [en el islam auténtico], lo que es muy beneficioso para el islam.

Jeque: Había cientos que personas que dudaban de usted y eran pocos los que lo seguían hasta que se produjo el gran acontecimiento. Ahora cientos de personas se están uniendo a usted. Recuerdo una visión que tuvo el jeque Salih Al [Shuaybi]. Dijo: "Habrá un gran ataque y la gente irá por centenas a Afganistán". Le pregunté [a Salih]: "¿A Agfanistán?". Él contestó: "Sí". Según él, los únicos que se quedarán atrás serán los débiles de espíritu y los mentirosos [hipócritas]. Recuerdo que me dijo que cientos de personas irían a Afganistán. Tuvo su visión hace un año. Este acontecimiento hace una distinción entre los distintos tipos de discípulos.

Bin Laden: [inaudible] calculamos con anticipación el número de víctimas del enemigo, que perecerían, basándonos en la disposición de las torres. Calculamos que las plantas que sufrirían el impacto serían tres o cuatro. Yo era el más optimista de todos [inaudible]. Debido a mi experiencia en este campo, pensaba que el fuego del combustible del avión fundiría la estructura de hierro del edificio y haría que se desplomara la zona donde había impactado el avión y sólo las plantas situadas por encima. Eso era todo lo que esperábamos.

Bin Laden: Estábamos en [inaudible] cuando tuvo lugar el acontecimiento. Nos había notificado desde el jueves anterior de que tendría lugar ese día. Terminamos nuestro trabajo de aquel día y pusimos la radio. Eran las 5.30 de la tarde hora local. Yo estaba con el doctor Ahmad Abu Al [Khair]. Inmediatamente oímos la noticia de que un avión había chocado contra el World Trade Center. Cambiamos de emisora para oír las noticias de Washington. El boletín de noticias seguía su curso y el ataque sólo fue mencionado al final. Entonces, el periodista anunció que un avión acababa de chocar contra el World Trade Center.

Jeque: Alabado sea Alá.

Bin Laden: Al cabo de un instante anunciaron que otro avión había impactado contra el World Trade Center. Los hermanos que oyeron la noticia se volvieron locos de alegría.

Jeque: Yo estaba oyendo las noticias. Nosotros no pensábamos en nada particular, y de repente, por la gracia de Alá, estábamos hablando de razones por las que no tenemos nada, y de repente llegó la noticia y todos se volvieron locos de alegría y hasta el día siguiente todo el mundo estuvo hablando de lo que estaba sucediendo y nos quedamos oyendo noticias hasta las cuatro de la madrugada. Las noticias eran cada vez un poco diferentes; todo el mundo estaba contento y decía: "Alá es grande", "estamos agradecidos a Alá", "alabado sea Alá". Y yo me sentía feliz por la felicidad de mis hermanos. Ese día estuvieron llegando felicitaciones por teléfono sin cesar. La madre no dejaba de responder al teléfono. Gracias a Alá, Alá es grande, alabado sea Alá.

(…)

Jeque: Sin duda es una clara victoria. Alá nos ha concedido (...) el honor (...) y nos seguirá bendiciendo y habrá más victorias durante este mes sagrado del Ramadán. Y esto es lo que todos están esperando. Gracias a Alá, Norteamérica salió de las cavernas. Le hemos dado el primer golpe y la próxima vez la golpearemos con las manos de los creyentes, los buenos creyentes, los firmes creyentes. Por Alá, que encarna todo lo que es bueno. Vivo en la alegría, en la alegría (...). Hace tiempo que no me sentía tan bien. Recuerdo las palabras de Al Rabbani; dijo que habían formado una coalición contra nosotros este invierno con infieles como los turcos, y otros, incluso árabes. Nos rodean (...) como en tiempos del profeta Mahoma. Exactamente como lo que está sucediendo hoy. Pero él consoló a sus fieles y les dijo: "Esto se volverá contra ellos". Y es una gracia para nosotros. Y una bendición para nosotros. Y hará que la vuelva gente. Mirad cuán sabio fue. Y Alá le dará su bendición. Llegará el día en que los símbolos del islam subirán a lo alto y será como en los viejos tiempos de Al Muyahidin y Al Ansar (como en los viejos tiempos del islam). Y victoria será para los que sigan a Alá. Finalmente dijo, es igual como en los días de antaño, en tiempos de Abu Bakr y Othman y Ali y otros. En estos días, en nuestra época, esta será la mayor Jihad de la historia del islam y de la resistencia de los descreídos.

Jeque: Por Alá, mi señor. Te felicitamos por tu gran obra. Alabado sea Alá.

Bin Laden: Abdallah Azzam, que Alá bendiga su alma, me dijo que no grabase nada [inaudible] de modo que pensé que era un buen presagio y Alá nos bendeciría [inaudible]. Abu Al Hasan Al [Masri], habló en la cadena de televisión Al Jazira hace un par de días y se dirigió a los norteamericanos diciendo. "Si sois hombres de verdad, venid aquí a enfrentaros con nosotros" [inaudible]. Hace un año me dijo: "En un sueño vi que íbamos a jugar un partido de fútbol contra los nortea-

230

mericanos. Cuando nuestro equipo salió al campo ¡todos eran pilotos!" Dijo: "Así que me pregunté si era un partido de fútbol o un partido de pilotos. Nuestros jugadores eran pilotos". Él [Abu Al Hasan] no supo nada de la operación hasta que la oyó en la radio. Dijo que el partido seguía y que los vencíamos. Fue un buen presagio para nosotros.

Jeque: Bendito sea Alá.

Hombre no identificado fuera de campo de la cámara: Abd Al Rahman Al [Ghamri] dijo que tuvo una visión antes de la operación; un avión chocaba contra un edificio alto. No sabía nada de eso.

Jeque: ¡Bendito sea Alá!

Suleiman [Abu Guaith]: Yo estaba sentado con el jeque en una habitación, y entonces fui a otra habitación donde había un televisor. Estaban transmitiendo el gran acontecimiento. La escena mostraba a una familia egipcia en el salón de su casa; estallaron de júbilo. ¿Sabe cuando hay fútbol y gana el equipo de uno? Era la misma expresión de alegría. Salió un subtítulo que decía: "En venganza por los niños de Al Aqsa, Osama Bin Laden ejecuta una operación contra Norteamérica". Entonces regresé junto al jeque [refiriéndose a Bin Laden], que estaba sentado en una habitación con 50 ó 60 personas. Traté de decirle lo que había visto, pero hizo un gesto con las manos como diciendo "ya lo sé, ya lo sé…".

Bin Laden: Él no sabía nada de la operación. Nadie lo sabía [inaudible] Mohamed [Atta] de la familia egipcia [en referencia al grupo egipcio de Al Qaeda] estaba al mando del grupo.

Jeque: Un avión estrellándose contra un edificio alto estaba fuera de la imaginación de cualquiera. Fue un gran trabajo. Era uno de los hombres piadosos de la organización. Se convirtió en mártir. Que Alá bendiga su alma.

Jeque [aludiendo a los sueños y visiones]: El avión que yo vi estrellarse contra el edificio fue visto antes por más de una persona. Uno de los buenos hombres religiosos lo ha dejado todo y ha venido aquí. Me ha dicho: "Tuve una visión; estaba en un enorme avión, largo y ancho. Lo llevaba sobre mis hombros y anduve medio kilómetro por el camino hacia el desierto. Yo iba tirando del avión". Lo escuché y rogué a Alá que lo ayudase. Otra persona me contó que lo había visto el año pasado, pero no lo entendí y se lo dije. Me dijo: "Vi a personas que partían para la Jihad... y se encontraron en Nueva York... en Washington y en Nueva York". Yo dije: "¿Qué es esto?". Contestó que el avión chocó contra el edificio. Eso fue el año pasado. Pero cuando ocurrieron los incidentes él vino a mí y me dijo: "¿Ha visto?... Es muy extraño". Y hay otro hombre... Dios mío... dijo y juró por Alá que su esposa había visto el incidente una semana antes. Ella vio el avión estrellándose contra un edificio... era increíble, Dios mío.

Bin Laden: Los hermanos que realizaron la operación, lo único que sabían era que tenían que realizar una operación de sacrificio; a cada uno de ellos les habíamos pedido que fuera a Norteamérica pero no sabían nada de la operación, ni una palabra. Pero estaban entrenados y no les revelamos nada de la operación hasta el momento en que estaban allí y se disponían a embarcar en los aviones (...)

Bin Laden: [inaudible] entonces dijo: los que recibieron formación como pilotos no se conocían entre sí. Un grupo de personas no conocía a otro [inaudible].

[Alguien de la multitud pide a Bin Laden que hable al jeque del sueño de (Abu-Daud).]

Bin Laden: Estábamos en un campamento de uno de los guardas del hermano, en Kandahar. Este hermano formaba parte de la mayoría del grupo. Se acercó y me dijo que había visto en un sueño un edificio alto en Norteamérica, y que en el mismo sueño vio a Mukhtar enseñándole a hacer karate. En ese momento me preocupó que el secreto fuera a ser revelado si todo el mundo empezaba a verlo en sueños. Así que zanjé la cuestión. Le dije que si tenía otro sueño no se lo contara a nadie porque la gente se disgustaría con él.

[Se oye la voz de otra persona narrando un sueño acerca de dos aviones chocando con edificios altos.]

Bin Laden: Estaban entusiasmados cuando el primer avión se estrelló contra el edificio, de modo que les dije: "tened paciencia".

Bin Laden: La diferencia entre el primer avión y el segundo al estrellarse contra las torres fue de 20 minutos. Y la diferencia entre el primer avión y el que cayó en el Pentágono fue de una hora.

Jeque: Ellos [los norteamericanos] estaban aterrorizados pensando que se trataba de un golpe de Estado.

[Ayman Al Zawahri primero rinde homenaje a Bin Laden por su buen conocimiento de la información aparecida en los medios de comunicación. Luego dice que era la primera vez que ellos (los norteamericanos) sienten que el peligro se acercaba a ellos.]

[Bin Laden recita un poema.]

[Fin de la secuencia de la visita de Bin Laden. Sigue al poema la secuencia de la visita al lugar donde fue abatido el helicóptero.]

[Fin de la transcripción.]

[Fin del texto.]"

La increíble Operación Northwoods

O cuando los militares norteamericanos querían organizar operaciones en su propio territorio para presentar la invasión de Cuba como si fuera en legítima defensa.

THE JOINT CHIEFS OF STAFF
WASHINGTON 25, D.C.

UNCLASSIFIED   13 March 1962

MEMORANDUM FOR THE SECRETARY OF DEFENSE

Subject: Justification for US Military Intervention
in Cuba (TS)

1. The Joint Chiefs of Staff have considered the attached Memorandum for the Chief of Operations, Cuba Project, which responds to a request of that office for brief but precise description of pretexts which would provide justification for US military intervention in Cuba.

2. The Joint Chiefs of Staff recommend that the proposed memorandum be forwarded as a preliminary submission suitable for planning purposes. It is assumed that there will be similar submissions from other agencies and that these inputs will be used as a basis for developing a time-phased plan. Individual projects can then be considered on a case-by-case basis.

3. Further, it is assumed that a single agency will be given the primary responsibility for developing military and para-military aspects of the basic plan. It is recommended that this responsibility for both overt and covert military operations be assigned the Joint Chiefs of Staff.

For the Joint Chiefs of Staff:

SYSTEMATICALLY REVIEWED
BY JCS ON
CLASSIFICATION CONTINUED

L. L. LEMNITZER
Chairman
Joint Chiefs of Staff

1 Enclosure
Memo for Chief of Operations, Cuba Project   EXCLUDED FROM GDS

EXCLUDED FROM AUTOMATIC
REGRADING: DOD DIR 5200.10
DOES NOT APPLY

TOP SECRET SPECIAL HANDLING NOFORN

DRAFT

MEMORANDUM FOR CHIEF OF OPERATIONS, CUBA PROJECT

Subject: Justification for US Military Intervention
in Cuba (TS)

1. Reference is made to memorandum from Chief of Operations,
Cuba Project, for General Craig, subject: "Operation MONGOOSE",
dated 5 March 1962, which requested brief but precise
description of pretexts which the Joint Chiefs of Staff
consider would provide justification for US military intervention in Cuba.

2. The projects listed in the enclosure hereto are forwarded
as a preliminary submission suitable for planning purposes.
It is assumed that there will be similar submissions from
other agencies and that these inputs will be used as a basis
for developing a time-phased plan. The individual projects
can then be considered on a case-by-case basis.

3. This plan, incorporating projects selected from the
attached suggestions, or from other sources, should be
developed to focus all efforts on a specific ultimate
objective which would provide adequate justification for
US military intervention. Such a plan would enable a logical
build-up of incidents to be combined with other seemingly
unrelated events to camouflage the ultimate objective and
create the necessary impression of Cuban rashness and
irresponsibility on a large scale, directed at other
countries as well as the United States. The plan would also
properly integrate and time phase the courses of action to
be pursued. The desired resultant from the execution of
this plan would be to place the United States in the apparent
position of suffering defensible grievances from a rash and
irresponsible government of Cuba and to develop an international image of a Cuban threat to peace in the Western
Hemisphere.

4. Time is an important factor in resolution of the Cuban problem. Therefore, the plan should be so time-phased that projects would be operable within the next few months.

5. Inasmuch as the ultimate objective is overt military intervention, it is recommended that primary responsibility for developing military and para-military aspects of the plan for both overt and covert military operations be assigned the Joint Chiefs of Staff.

6

237

PRETEXTS TO JUSTIFY US MILITARY INTERVENTION IN CUBA

(Note: The courses of action which follow are a preliminary submission suitable only for planning purposes. They are arranged neither chronologically nor in ascending order. Together with similar inputs from other agencies, they are intended to provide a point of departure for the development of a single, integrated, time-phased plan. Such a plan would permit the evaluation of individual projects within the context of cumulative, correlated actions designed to lead inexorably to the objective of adequate justification for US military intervention in Cuba).

1. Since it would seem desirable to use legitimate provocation as the basis for US military intervention in Cuba a cover and deception plan, to include requisite preliminary actions such as has been developed in response to Task 33 c, could be executed as an initial effort to provoke Cuban reactions. Harassment plus deceptive actions to convince the Cubans of imminent invasion would be emphasized. Our military posture throughout execution of the plan will allow a rapid change from exercise to intervention if Cuban response justifies.

2. A series of well coordinated incidents will be planned to take place in and around Guantanamo to give genuine appearance of being done by hostile Cuban forces.

a. Incidents to establish a credible attack (not in chronological order):

(1) Start rumors (many). Use clandestine radio.

(2) Land friendly Cubans in uniform "over-the-fence" to stage attack on base.

(3) Capture Cuban (friendly) saboteurs inside the base.

(4) Start riots near the base main gate (friendly Cubans).

(5) Blow up ammunition inside the base; start fires.

(6) Burn aircraft on air base (sabotage).

(7) Lob mortar shells from outside of base into base. Some damage to installations.

(8) Capture assault teams approaching from the sea or vicinity of Guantanamo City.

(9) Capture militia group which storms the base.

(10) Sabotage ship in harbor; large fires -- napthalene.

(11) Sink ship near harbor entrance. Conduct funerals for mock-victims (may be lieu of (10)).

b. United States would respond by executing offensive operations to secure water and power supplies, destroying artillery and mortar emplacements which threaten the base.

c. Commence large scale United States military operations.

3. A "Remember the Maine" incident could be arranged in several forms:

a. We could blow up a US ship in Guantanamo Bay and blame Cuba.

b. We could blow up a drone (unmanned) vessel anywhere in the Cuban waters. We could arrange to cause such incident in the vicinity of Havana or Santiago as a spectacular result of Cuban attack from the air or sea, or both. The presence of Cuban planes or ships merely investigating the intent of the vessel could be fairly compelling evidence that the ship was taken under attack. The nearness to Havana or Santiago would add credibility especially to those people that might have heard the blast or have seen the fire. The US could follow up with an air/sea rescue operation covered by US fighters to "evacuate" remaining members of the non-existent crew. Casualty lists in US newspapers would cause a helpful wave of national indignation.

4. We could develop a Communist Cuban terror campaign in the Miami area, in other Florida cities and even in Washington.

8

Annex to Appendix
to Enclosure A

The terror campaign could be pointed at Cuban refugees seeking haven in the United States. We could sink a boatload of Cubans enroute to Florida (real or simulated). We could foster attempts on lives of Cuban refugees in the United States even to the extent of wounding in instances to be widely publicized. Exploding a few plastic bombs in carefully chosen spots, the arrest of Cuban agents and the release of prepared documents substantiating Cuban involvement also would be helpful in projecting the idea of an irresponsible government.

5. A "Cuban-based, Castro-supported" filibuster could be simulated against a neighboring Caribbean nation (in the vein of the 14th of June invasion of the Dominican Republic). We know that Castro is backing subversive efforts clandestinely against Haiti, Dominican Republic, Guatemala, and Nicaragua at present and possible others. These efforts can be magnified and additional ones contrived for exposure. For example, advantage can be taken of the sensitivity of the Dominican Air Force to intrusions within their national air space. "Cuban" B-26 or C-46 type aircraft could make cane-burning raids at night. Soviet Bloc incendiaries could be found. This could be coupled with "Cuban" messages to the Communist underground in the Dominican Republic and "Cuban" shipments of arms which would be found, or intercepted, on the beach.

6. Use of MIG type aircraft by US pilots could provide additional provocation. Harassment of civil air, attacks on surface shipping and destruction of US military drone aircraft by MIG type planes would be useful as complementary actions. An F-86 properly painted would convince air passengers that they saw a Cuban MIG, especially if the pilot of the transport were to announce such fact. The primary drawback to this suggestion appears to be the security risk inherent in obtaining or modifying an aircraft. However, reasonable copies of the MIG could be produced from US resources in about three months.

Annex to Appendix
to Enclosure A

240

7. Hijacking attempts against civil air and surface craft should appear to continue as harassing measures condoned by the government of Cuba. Concurrently, genuine defections of Cuban civil and military air and surface craft should be encouraged.

8. It is possible to create an incident which will demonstrate convincingly that a Cuban aircraft has attacked and shot down a chartered civil airliner enroute from the United States to Jamaica, Guatemala, Panama or Venezuela. The destination would be chosen only to cause the flight plan route to cross Cuba. The passengers could be a group of college students off on a holiday or any grouping of persons with a common interest to support chartering a non-scheduled flight.

a. An aircraft at Eglin AFB would be painted and numbered as an exact duplicate for a civil registered aircraft belonging to a CIA proprietary organization in the Miami area. At a designated time the duplicate would be substituted for the actual civil aircraft and would be loaded with the selected passengers, all boarded under carefully prepared aliases. The actual registered aircraft would be converted to a drone.

b. Take off times of the drone aircraft and the actual aircraft will be scheduled to allow a rendezvous south of Florida. From the rendezvous point the passenger-carrying aircraft will descend to minimum altitude and go directly into an auxiliary field at Eglin AFB where arrangements will have been made to evacuate the passengers and return the aircraft to its original status. The drone aircraft meanwhile will continue to fly the filed flight plan. When over Cuba the drone will being transmitting on the international distress frequency a "MAY DAY" message stating he is under attack by Cuban MIG aircraft. The transmission will be interrupted by destruction of the aircraft which will be triggered by radio signal. This will allow ICAO radio

Annex to Appendix
to Enclosure A

stations in the Western Hemisphere to tell the US what
has happened to the aircraft instead of the US trying to
"sell" the incident.

9. It is possible to create an incident which will make it
appear that Communist Cuban MIGs have destroyed a USAF aircraft
over international waters in an unprovoked attack.

   a. Approximately 4 or 5 F-101 aircraft will be dispatched
in trail from Homestead AFB, Florida, to the vicinity of Cuba.
Their mission will be to reverse course and simulate fakir
aircraft for an air defense exercise in southern Florida.
These aircraft would conduct variations of these flights at
frequent intervals. Crews would be briefed to remain at
least 12 miles off the Cuban coast; however, they would be
required to carry live ammunition in the event that hostile
actions were taken by the Cuban MIGs.

   b. On one such flight, a pre-briefed pilot would fly
tail-end Charley at considerable interval between aircraft.
While near the Cuban Island this pilot would broadcast that
he had been jumped by MIGs and was going down. No other
calls would be made. The pilot would then fly directly
west at extremely low altitude and land at a secure base, an
Eglin auxiliary. The aircraft would be met by the proper
people, quickly stored and given a new tail number. The
pilot who had performed the mission under an alias, would
resume his proper identity and return to his normal place
of business. The pilot and aircraft would then have
disappeared.

   c. At precisely the same time that the aircraft was
presumably shot down a submarine or small surface craft
would disburse F-101 parts, parachute, etc., at approximately
15 to 20 miles off the Cuban coast and depart. The pilots
returning to Homestead would have a true story as far as
they knew. Search ships and aircraft could be dispatched
and parts of aircraft found.

Tras su partida de la base de la Fuerza Aérea estadounidense en Offut, el
presidente Bush llama desde el Air Force One al vicepresidente Cheney
(11 de septiembre de 2001). Foto: Casa Blanca, por Eric Droper.

En el búnker de la Casa Blanca, el vicepresidente Cheney habla por teléfono con el
presidente Bush. Condoleezza Rice está sentada a su derecha.
(11 de septiembre de 2001). Foto: Casa Blanca, por David Schrer.

El presidente Bush visita el 4 de febrero de 2002 la base de la Fuerza Aérea de Elgin (Florida). Foto: Casa Blanca, por Paul Morse.

El presidente Bush en la Catedral Nacional de Washington
el 14 de septiembre de 2001.
Foto: Casa Blanca, por Moreen Ishikawa.

Después de su intervención, el presidente Bush toma la mano de su padre.
Foto: Casa Blanca, por Eric Draper

Firma de la US Patriot Act el 26 de octubre de 2001.
Foto: Casa Blanca, por Eric Draper.

Colin Powell, presidente Bush, Dick Cheney y Hugh Shelton
contestan a la prensa en la Casa Blanca el 12 de septiembre de 2001.
Foto: Casa Blanca, por Tina Hager.

Conferencia de prensa en el Pentágono conducida por el secretario de Defensa, Donald H. Rumsfeld. En esta ocasión se producirá un intercambio un poco "fuerte" con el senador Carl Levin (a la derecha) (11 de septiembre de 2001). Foto: Casa Blanca, por Helene C. Stikkel.

Conferencia de prensa de Tom Ridge, director de la Oficina de Seguridad Interior (18 de octubre de 2001). Foto: Casa Blanca, por Tina Hager.

Reunión con el Consejo Nacional de Seguridad (12 de septiembre de 2001).
Foto: Casa Blanca, por Eric Droper.

Reunión en el Salón Oval, con el presidente Bush y, especialmente, el gobernador
Tom Ridge, Condoleezza Rice, el almirante Steve Abbot...
(20 de diciembre de 2001). Foto: Casa Blanca, por Paul Morse.

El presidente Bush con el presidente afgano Hamid Karzai.
Foto: Casa Blanca, por Paul Morse.

El presidente Hamid Karzai recibe una calurosa ovación el 29 de enero de 2002.
Foto: Casa Blanca, por Paul Morse.

General
Ralph E. *Ed* Eberhart
Comandante en Jefe, North
American Aerospace
Defense Command and US
Space Command;
Comandante, Air Force
Space Command;
y Department of Defense
Manager for Manned
Space Flight Support
Operations, Peterson Air
Force Base, Colo .
Foto: Fuerza Aérea.

Secretario de Defensa
Paul Wolfowitz
Foto: DOD, por R.D. Ward.

250

Direcciones en Internet
de los principales medios de comunicación citados

Albuquerque Journal: http://www.abqjournal.com

Asia Times: http://www.atimes.com

Boston Globe: http://www.boston.com/globe

CBS: http://www.cbsnews.com

Chicago Tribune: http://www.chicagotribune.com

CNN: http://www.cnn.com

Democrats.Com: http://www.democrats.com

From the Wilderness: http://www.copvcia.com

Globe and Mail: http://www.GlobeandMail.com

Ha'aretz Daily: http://www.haaretzdaily.com

Homeland Defense Journal: http://www.homelanddefensejournal.com

Intelligence Online: http://www.intelligenceOnline.fr

Intelligence Online: http://www.intelligenceOnline.fr

Irish Times: http://www.ireland.com

L'Hebdo Magazine: http://www.magazine.com.lb

Los Angeles Times: http://www.latimes.com

Newsbytes: http://www.newsbytes.com

Newswatch: http://www.newswatchngr.com

San Francisco Chronicle: http://www.sfgate.com

Slate: http://www.slate.msm.com

St Petersburg Times: http://www.sptimes.com

Sydney Morning Herald: http://www.smh.com.au

The Christian Science Monitor: http://www.csmonitor.com

The Daily Telegraph: http://www.dailytelegraph.co.uk

The Halifax Herald: http://www.Herald.ns.ca

The Guardian: http://www.guardian.co.uk

The Hill: http://www.hillnews.com

The Independent: http://www.independent.co.uk

The New York Review of Books: http://www.nybooks.com

The New York Times: http://www.nytimes.com

The New Yorker: http://www.newyorker.com

The Observer: http://www.observer.co.uk

The Times of India: http://www.timesofindia.com

The Washington Post: http://www.washingtonpost.com

The Washington Times: http://www.washtimes.com

Toronto Star: http://www.thestar.com

WorldNetDaily: http://www.worldnetdaily.com

Agradecimientos

El autor quiere agradecer especialmente a A.-J. V. y G.S. que se han encargado de comprobar las traducciones de los distintos documentos y citas; E.B., P.-H.B., F.C., S.J., H.M.-V., por sus informes; A.B., C.B., J.C., B.C., C.C., C.D., M.M., R.M., R.-J.P., E.R., D.S. por su ayuda documental; y sobre todo a Serge Marchand, que ha coordinado el conjunto de las investigaciones y los trabajos preparatorios.

Impreso en **Verlap S. A.**,
Comandante Spurr 653, Avellaneda,
provincia de Buenos Aires,
en el mes de septiembre de 2002.